KB215863

ChemEngine 1
물질수지

쉽게 이해하는

화학공학양론

| 김정희 · 정광보 지음 |

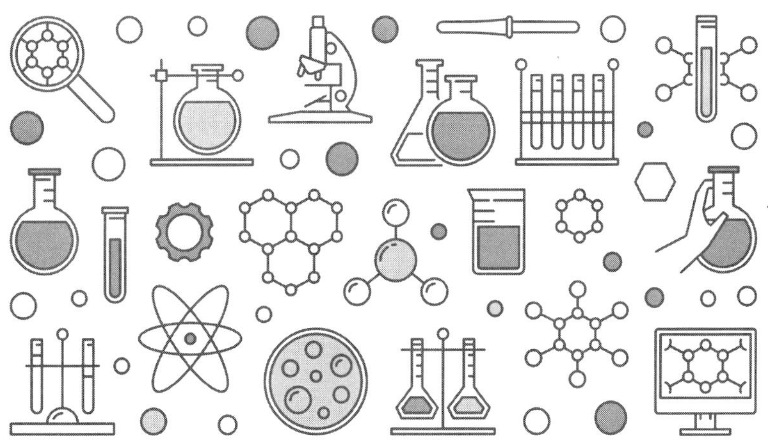

도서출판 동화기술

이 책을 쓰는 마음…

화공양론은 화학반응의 공정에서 화학성분의 양을 논하는 공부라 하겠다. 화공양론은 화학공학을 전공하는 1~2학년 대학생들이 처음 접하는 전공기초과목이다. 그 내용으로는 2학년에서 병행해서 배우는 물리화학의 기체 거동뿐만 아니라 3~4학년에 접하게 되는 물질수지, 반응공학 및 열전달 등에서 다룰 물질수지와 에너지수지에 대한 기초내용을 담고 있다. 비록 이 과목이 기초과목이기는 하지만 그 내용이 다양하고 방대하여 학생들을 당혹스럽게 하고 처음 익히기 부담스러운 과목임을 인정한다. 드문 일이기는 하지만 이 과목에서 벽을 느끼고 전과하는 학생도 있다고 들었다.

이 과목은 대학의 일부 과에서만 학습하는 과목이라 수요가 많지 않아서 그런지 교재가 다양하지 않다. 어떤 교재는 초보자가 이해하기에 너무 많은 내용과 복잡한 공정을 제시하는 문제들로 학생들의 기를 죽이는 듯하고, 또 어떤 교재는 일부 기사시험들을 겨냥한 너무 기초적인 내용만 다루는 듯하여 전공에 도움이 안 되는 듯하다. 이러한 어려움을 알지만 교수님들께서 방대한 내용들을 집필하실 시간이 없어서 그런지 다양한 난이도의 적합한 교재를 찾기가 쉽지 않다.

이 책의 내용은 물질수지에 대한 맥락을 이어가며, 너무 어렵지 않은 예제들을 선정함으로써 학생들이 학업을 포기하지 않고 이어나가길 바란다. 학생들이 이 과목으로 다음 전공을 이해할 수 있는 첫 걸음이 되고, 다음 전공과목을 기대할 수 있는 경험이 되었으면 한다.

암기는 학습의 기본이기는 하나 그 수명은 오래가지 않는다. 어떤 수식을 암기하고 1년 뒤에 정확하게 기억해내는 것이 거의 불가능하다는 것을 우리는 경험에서 안다. 나는 이런 노력은 비효율적이고 뇌를 혹사시키는 행위라고 생각한다. 대신 그 수식이 생겨난 과정을 이해하는데 집중하면, 시간이 지나 그 수식들은 잊어버리더라도 그 과정은 기억에 남아 있고 그 수식에 버금가는 관계들을 추적하여 기억해 낼 수 있다. 이것은 평생 그 수식을 재생해 낼 수 있는 가장 효율적인 방법이다. 이 책의 집필 시 유의한 것은 무작정 수식들이나 관계식들을 암기해야 한다고 생각하는 내용들을 가능한 이해시키려고 노력하였다. 이 부분은 많은 지면을 할애하므로 자칫 지루할지 모르지만 차근차근 곱씹으며 그 맛을 경험하길 바란다. 절대 잊어버리지 못하는 정보를 습득하는 것은 뇌를 안정화시키고 자신감을 높이는 경험이 될 것임을 믿는다. 끝으로 처음 쓰는 동안 많은 실수가 있다하더라도, 일단 시도하고 차츰 수정해 나갈 생각이다. 부족한 것을 본인이 잘 알고 있으므로 좋은 교재가 되도록 격려 부탁합니다.

목 차

Part

화공양론의 기초

Part 1은 중고등학교에서 수학이나 과학에서 이미 학습한 내용을 재정리하거나 화학공학에 필요한 새로운 기초 내용을 검토한다. 중고등학교 과정에서 이미 배운 내용은 간결하게 설명하기 보다는 최대한 쉽게 풀어서 표현하려고 노력하였고, 새로운 내용은 중학교에서 학습한 내용과 연결하여 설명하려고 노력하였다.

앞으로 배우게 되는 차원의 연산방법은 중학교 문자식의 계산방법에 기초하여 설명하였고, 생소한 물질수지는 방정식을 기초하여 연결하고자 노력하였다.

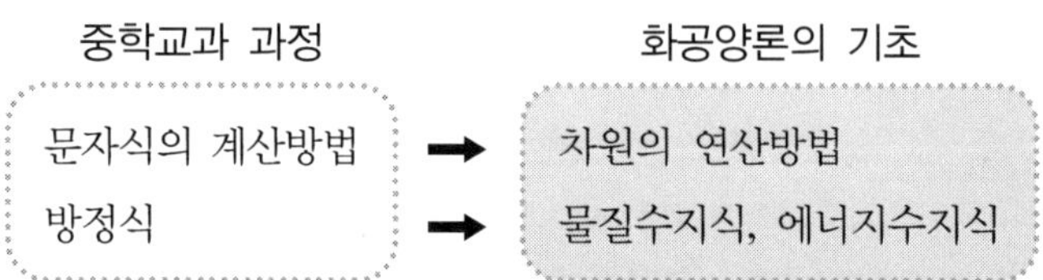

Lesson 1~3	차원과 단위, 단위환산, 유효숫자와 과학적 표기법	← **수의 표현**
Lesson 4~6	질량, 밀도, 힘, 압력	← **기초 물리량**
Lesson 7~9	온도, 에너지, 유속, 몰분율	← **화학공학**

Part 1의 Lesson 1~6까지는 이미 중고등과정에서 배워온 내용이지만 힘, 일과 압력에 집중해보길 바라며, 앞으로 배워나가는 Lesson 7~9는 화학공학에서 주로 다루는 변수와 물질의 단위환산을 익혀보자.

Lesson 1

차원과 단위

물리적인 양을 표기하는 다양한 방법과 이를 표현하기 위한 단위와 차원에 대하여 알아보자.

1. 물리량을 측정하고 표기하기

다음 책상의 길이를 측정하는 방법을 생각해보자.

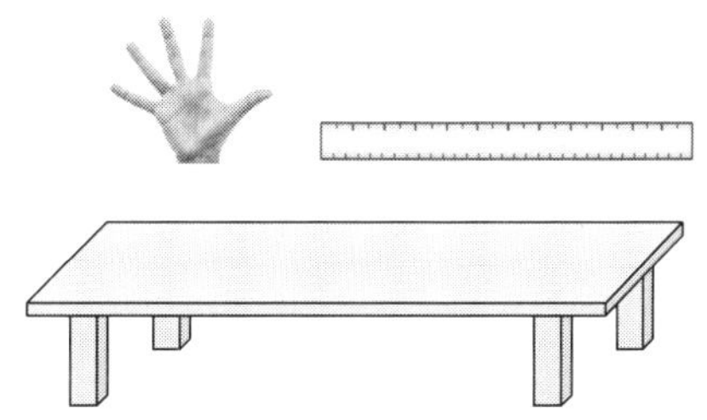

책상의 길이는 손이나 자와 같은 다양한 도구를 사용하여 측정할 수 있다. 측정도구로 손을 사용하여 책상의 길이가 '8뼘'이었다면, 측정기준인 한 뼘이 8번 반복된 만큼의 길이라는 뜻이다. 만약 책상의 길이를 숫자인 '팔(8)이야'라고만 말하거나 측정기준(단위)인 '뼘이야'이라고만 말하면 그 길이를 다른 사람과 공유할 수 없다. 그래서 '8'이라는 숫자와 그 측정기준인 '뼘'을 함께 사용하여 '8뼘'이라 할 때 다른 이들이 그 길이를 가늠할 수 있다. 또, 측정도구로 센티미터(cm) 눈금을 가진 자를 사용하여 '1 cm'가 160번이 반복된 길이라며, 160이라는 숫자와 cm라는 단위를 함께 표현한 160 cm라고 해야 그 길이를 전달할 수 있다. 이처럼 어떤 측정치를 전달하고자 한다면 8이나 160과 같은 '수(무차원, dimensionless)'와 뼘과 cm인 '단위(unit)'를 함께 표현한다.

- 측정된 양(quantity)은 수치(numerical value)와 단위(unit)를 함께 사용한다. (물론 계산된 물리량도 동일하다.)
- 160 cm인 책상의 길이가 1.6 m로 표현되거나 1,600 mm로 표시되기도 한다. 셋 모두 다른 숫자와 다른 단위를 사용하지만 모두 동일한 물리적인 크기이다. 또한, 5 kg으로 측정된 책상의 질량을 5,000 g으로도 표현해도 동일한 물리량이다. 즉, 동일한 물리량은 다양한 단위와 수치로 표현될 수 있다.

> 물리량은 수와 단위를 함께 사용하며, 동일한 크기의 물리량은 다양한 단위와 수로 표현되는군요.

2. 차원과 단위

이제, 물리량을 종류별로 구분해 보자.

1.6 m, 250 cm, 1.5 ft(피트) 등은 '길이'라는 특징을 가졌고, 5 kg, 1.2 lb(파운드)는 '질량'이라는 특징을 가진다. 여기서 1.6 m와 5 kg은 각각 '길이'와 '질량'이라는 서로 다른 특징을 가지고 있는 것들을 각기 다른 '차원'에 있다고 말한다. 차원(dimensional)은 길이, 질량, 시간, 온도 등의 물질의 특성을 나타내는 물리량의 척도이고, 단위(unit)는 차원의 물리적인 크기를 정량화하기 위하여 '뼘'이나 'cm'와 같이 증분의 크기를 표준화한 것으로, 길이차원에서는 미터(meter), 피트(ft) 등과 같이 다양한 단위들을 사용할 수 있고, 질량의 차원에는 kg이나 lb의 단위를 사용한다.

차원＝단위?
차원≠단위?

우리 생활에서 접하는 물건들로 설명해보자.

우선, 자동차, 트럭, 비행기 등은 '탈것'이라 하고, 정장, 바지, 신 등은 '의복', 쇠고기, 돼지고기, 사과, 배추 등은 '먹거리', 또 컴퓨터, 삽, 핸드폰 등은 '생활용품'으로 분류하는 것과 같이 유사하지.

탈것 : 자동차, 트럭, 비행기…
의복 : 정장, 바지, 신…
먹거리 : 쇠고기, 돼지고기, 사과, 배추…
생활용품 : 컴퓨터, 삽, 핸드폰…

왼쪽의 탈것, 의복, 먹거리, 생활용품은 우측의 물건들을 특징지어 대표하는 용어이고, 탈것, 의복, 먹거리, 생활용품은 차원에 해당한다. 또한 우측의 구체적인 물건인 자동차, 트럭, 비행기 등은 단위에 해당한다고 비유할 수 있지.

(1) 기본차원(fundamental/basic dimensional)

자연과 공학적인 필수 물리량으로 질량, 길이, 시간, 온도, 전류, 빛의 양 및 물질의 양을 기본차원이라 하고, 표 1-1에 그 단위와 함께 나타내었다.

표 1-1 기본차원

차원(물리량)	단위
질량	근, 온스, 그램(g), 파운드(lb)
길이	척, 미터(m), 인치(in)
시간	초(sec), 시(hr), 광년
온도	섭씨(℃), 화씨(°F), 켈빈(K)
물질량	몰(mol), 파운드몰(lbmol)
전류	A
빛의 양(광도)	cd

표 1-1 중에 화학공학에서 가장 많이 사용되는 기본차원은 질량, 길이 및 시간이다.

질량[M, mass], 길이[L, length], 시간[T, time]이다.
이를 간단히 다음과 같이 표기한다.
질량[M], 길이[L], 시간[T]

질량, 길이 및 시간의 세 차원의 크기를 나타내기 위하여, 미터(meter), 킬로그램(kilogram), 초(second) 단위를 사용하며, 영문 첫 자를 따서 그 세 단위들을 MKS계라 한다. 이는 상대적으로 큰 물리량을 나타낼 때 편리하다. 반면에 상대적으로 적은 물리량을 나타낼 때는 센티미터(centimeter), 그램(gram), 초(second)인 단위를 사용하고 이를 묶어서 CGS계라 한다. 또한 영국단위계인 피트(feet), 파운드(pound), 초(second)를 FPS계라 한다.

	길이	질량	시간
MKS계	m	kg	sec
CGS계	cm	g	sec
FPS계	ft	lb	sec

MKS계 : meter, kilogram, second의 약자
CGS계 : centimeter, gram, second의 약자
FPS계 : feet, pound, second의 약자

(2) 유도차원(derived dimensional)

표 1-1의 기본차원을 기반으로부터 넓이, 부피, 밀도, 속도, 힘 및 에너지 등과 같은 차원이 만들어지는 데 이러한 차원들을 '유도차원'이라 한다. 특히 세 가지 기본차원 질량[M], 길이[L], 시간[T]을 중심으로 만들어지는 유도차원은 넓이, 부피, 밀도, 속도, 힘, 압력 및 에너지 등이 있다. 그 중 면적과 부피를 정의하는 과정을 소개하고, 그 밖의 밀도, 힘, 압력, 에너지의 정의는 Lesson 4~7에 걸쳐서 살펴본다.

면적

면적은 사잇각이 90°인 두 길이를 변으로 이루어진 직사각형의 넓이로, 두 길이의 곱으로 정의한다.

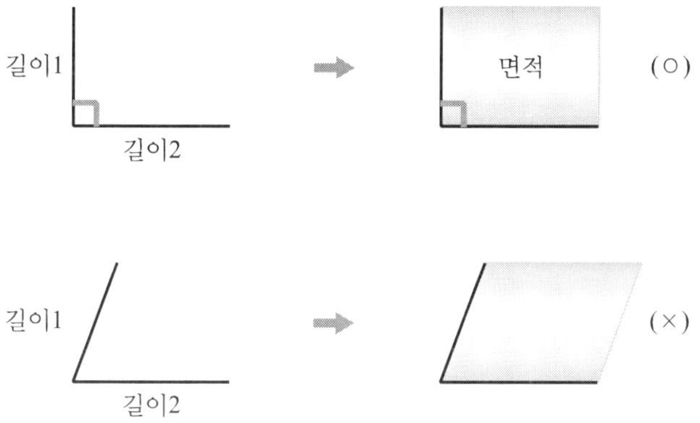

면적의 정의

- 면적 : 길이1⊥길이2인 사각형 ← 길이1과 길이2 사이가 직각인 직사각형
- 면적의 크기 = 길이1 × 길이2

기본차원인 길이는 [L]이고, 유도차원인 면적은 두 길이의 곱이므로 다음과 같다.

$$\text{면적}[L^2] = \text{길이}[L] \times \text{길이}[L]$$

따라서, 면적은 $[L^2]$이라 표기한다.

면적의 단위가 m^2이나 cm^2와 같이 제곱으로 표현되는 이유를 수학의 문자식 표현과 연관 지어서 생각해보자.

예제 1.1

한 변의 길이가 2 m이고 다른 변의 길이가 4 m인 직사각형 면적의 크기와 단위를 구하라.

Solution

면적의 정의에 의해서

$$
\begin{aligned}
\text{면적의 크기} &= \text{길이1} \times \text{길이2} && \text{문자식 표현} \\
&= 2\,\mathrm{m} \times 4\,\mathrm{m} && \leftarrow \text{2m은 2y로 생각하자.} \\
&= (2\times \mathrm{m}) \times (4\times \mathrm{m}) && \leftarrow 2y = 2\times y\text{인 것처럼 } 2m = 2\times m\text{으로 표현} \\
&= 2\times \mathrm{m} \times 4\times \mathrm{m} && \\
&= (2\times 4) \times (\mathrm{m}\times \mathrm{m}) && \leftarrow \text{곱셈의 교환법칙이 성립} \\
&= 8 \times \mathrm{m}^2 && \leftarrow y\times y = y^2\text{인 것처럼 } m\times m = m^2\text{으로 표현} \\
&= 8\,\mathrm{m}^2
\end{aligned}
$$

따라서, 면적의 단위는 '길이 단위의 제곱'인 'm^2'이 된다.

부피

부피는 밑면적과 높이가 90°로 이루어진 체적으로, 그 크기는 밑면적과 높이의 곱이다.

부피의 정의

- 부피 : 밑면적⊥높이인 체적
- 부피의 크기 = 밑면적 × 높이

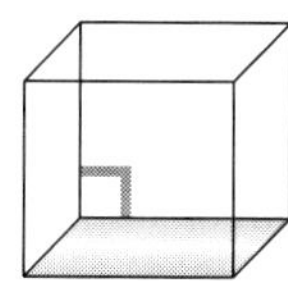

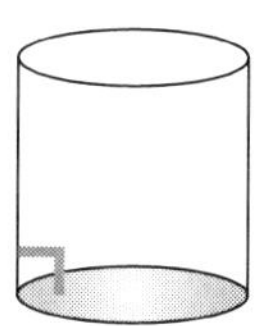

예제 1.2

Q&A

밑면의 넓이가 20 m^2이고 높이가 10 m인 원기둥의 부피를 구하라.

Solution

$$
\begin{aligned}
\text{부피의 크기} &= \text{밑면적} \times \text{높이} \\
&= 20\ \mathrm{m}^2 \times 10\ \mathrm{m} \\
&= (20 \times \mathrm{m}^2) \times (10 \times \mathrm{m}) \\
&= 20 \times 10 \times \mathrm{m}^2 \times \mathrm{m} \\
&= 200 \times \mathrm{m}^3 \\
&= 200\ \mathrm{m}^3
\end{aligned}
$$

따라서, 부피의 단위는 '길이단위의 세제곱'인 'm^3'이 된다.

표 1-2는 과학관련 분야에서 많이 사용되는 대표적인 유도차원과 다양한 단위들을 나열한다.

표 1-2 유도차원

차원(물리량)	단위
넓이	제곱미터(m^2), 제곱피트(ft^2)
부피	세제곱미터(m^3), 갤런(gal)
밀도	kg/m^3, g/cm^3, lb/in^3
힘	N(뉴턴), $kg\ m/sec^2$, lb/in^3
압력	Pa(파스칼), atm, bar, psi
에너지	cal, J(줄), $kg\ m^2/sec^2$, BTU
일률	W(와트), J/sec, $kg\ m^2/sec^3$

참조 **둘 이상 단위가 합쳐진 복합단위의 표현법**

- 두 단위의 곱은 중점(·)을 사용하지만, 중점을 생략할 수도 있다.
  예 N·m, Nm
- 앞 단위가 지수로 표현될 때는 중점을 생략한다.
  예 kg^2m^3
- 분수단위의 분모는 지수를 사용하거나 '/'를 사용한다.
  예 $\frac{m}{s} \rightarrow m \cdot s^{-1}$ 혹은 m/s
- 분자에 위치한 단위들은 모두 '/'의 왼쪽에, 분모인 단위들은 모두 '/'의 오른쪽으로 모아서 쓴다.
  예 $\frac{kg}{m\ s^2} \rightarrow kg/m \cdot s^2$
  이 경우 $kg/(m \cdot s^2)$와 같이 분자에 괄호로 묶어서 표현하지 않아도 된다.

기본차원의 표기법

질량[M], 길이[L], 시간[T]

유도차원은 기본차원의 조합으로 이루어진다.

면적[L^2] = 길이[L] × 길이[L]
속도[LT^{-1}] = 길이 [L] / 시간[T]
힘[MLT^{-2}] = 질량[M] × 길이[L] / 시간^2[T^2]

3. 단위계

앞에서 제시된 표에서 한 가지 물리량을 표시하는 데에 여러 가지 단위로 사용할 수 있음을 알았다. 이는 각 나라별로 전통적으로 사용되었던 측정도구에서 유래하였고, 각기 다른 전통적인 문화를 가진 나라들끼리 물리량을 교환하는데 무척 번거롭고 낭비적인 요소가 많았다. 과학이 발달함에 따라 통일된 단위가 더욱 절실하게 필요하게 되어서, 국제표준단위계인 SI 단위계(System International of Units)를 제정하여, 현재에는 우리나라를 비롯하여 대부분의 나라들이 사용한다.

표 1-3 SI 단위계(System International Units)

물리량	단위명칭	기호
길이	미터(meter)	m
질량	킬로그램(kilogram)	kg
시간	초(second)	sec 또는 s
온도	켈빈(Kelvin)	K
물질량	몰(mole)	mol
속도	초당 미터(meter per second)	m/s
힘	뉴턴(Newton)	N (kg m/sec^2)
압력	파스칼(Pascal)	Pa (N/m^2, kg/m sec^2)
에너지	줄(Joule)	J (Nm, kg m^2/sec^2)
일률	와트(Watt)	W (J/s, kg m^2/sec^3)

미국이 사용하고 있는 영국단위계는 이제 AE 단위계(American Engineering system of Unites)라 불리며 다음과 같다.

표 1-4 AE 단위계(American Engineering system of Unites)

물리량	단위명칭	기호
길이	피트(feet)	ft
질량	파운드(pound, mass)	lb
시간	초(second)	sec 또는 s
온도	degree Fahrenheit, degree Rankine	°F, °R
물질량	파운드몰(pound mole)	lbmol
속도	초당 피트(feet per second)	ft/s
힘	pound(force)	lb_f
압력	pound(force) per square inch	lb_f/in^2, psi
에너지 일률	British Thermal Unit	BTU

참조

영국에서 만들어진 피트, 파운드 등의 단위는 왕과 같은 권력자가 그 기준을 정한 영국단위계였지만, 세계과학위원회가 단위에 대한 새로운 기준을 정하여 SI 단위계를 공포한 후, 영국을 비롯한 유럽, 아시아에서는 SI 단위계를 사용하고 있다. 하지만, 아이러니하게 미국은 영국단위계를 여전히 사용하고 있고, 영국단위계로 시작한 이 단위를 이제는 AE 단위계라 한다. (화재공학개론 윤용균 역자, Fire Dynamic, Gregory E. Gorbett)

Lesson 2 연산과 단위환산

이 장에서 차원에 따른 연산법을 이해하고, 연산에 필요한 단위환산에 대하여 알아보자.

1. 연산방법

측정값이나 물리량들은 수치와 단위를 가진다. 측정값이나 물리량(측정값)의 연산방법을 중학교에서 배운 문자식 계산방법과 비교하며 이해하자. 우선 문자식은 숫자와 문자(x, y)로 이루어진 문자식($2x$ 혹은 $3y$)은 숫자와 단위로 이루어진 물리량(2 kg, 5 m)과 유사하다. 즉 단위(kg, m)는 문자식의 문자(x, y)에 해당한다고 생각하자.

(1) 동일한 차원은 덧셈과 뺄셈이 가능하다.

문자식에서 동일한 문자식(동류항)의 덧셈과 뺄셈의 연산이 가능한 것처럼, 동일한 단위를 가진 측정값은 직접 덧셈과 뺄셈의 연산이 가능하다.

덧셈 : $2x+3x=(2+3)x=5x$	→	6 cm + 2 cm = (6 + 2) cm = 8 cm
뺄셈 : $6y-2y=(6-2)y=4y$		12 kg − 7 kg = (12 − 7) kg = 5 kg

6 cm와 2 cm를 더하고자 하는 경우, 동일한 단위(cm)를 가지므로 숫자들끼리 더한 후 단위를 붙인다. (분배법칙이 가능)

$$6\ \text{cm} + 2\ \text{cm} = (6+2)\ \text{cm} = 8\ \text{cm}\ [\text{분배법칙}]$$

다음 경우와 같이, 차원(길이)이 같지만 단위가 다른 경우,

$$2\ \text{m} - 12\ \text{cm} = ?? \tag{2.1}$$

같은 단위로 통일하면 덧셈과 뺄셈의 연산이 가능하다. 즉, 2 m를 200 cm로 바꾸어 계산하면 계산결과는 188 cm가 된다.

$$200\ \text{cm} - 12\ \text{cm} = 188\ \text{cm}$$

또한 12 cm를 0.12 m로 바꾸어서 계산가능하다.

$$2\ \text{m} - 0.12\ \text{m} = 1.88\ \text{m}$$

하지만 문자식에서 x, y처럼 다른 문자끼리는 덧셈과 뺄셈이 불가능한 것처럼, 2 m와 3 kg과 같이 차원이 다르면 계산이 불가능하다. 단위를 통일시킬 수 없기 때문이다.

$2x+4y$ = (X) 계산 불가 ➡ 2 m + 3 kg → 연산 불가능

같은 차원의 다른 단위들은 단위를 통일하여 덧셈/뺄셈이 가능하지만 다른 차원의 단위들은 덧셈/뺄셈을 할 수 없군요.

어떤 물리량의 덧셈과 뺄셈의 연산은 동일한 차원일 때 가능하다는 것을 알았다. 이를 차원의 일관성이라 말한다.

(2) 곱셈과 나눗셈은 새로운 차원을 만든다.

문자식의 연산에서 $2x$와 $3y$와 같이 서로 다른 문자식들끼리 곱셈과 나눗셈이 가능한 것처럼, 서로 다른 차원/단위는 얼마든지 곱하거나 나눌 수 있다. 어떤 물체에 5 N의 힘이 가해져서 가해진 방향으로 2 m를 움직였다면 $5\ \text{N} \times 2\ \text{m} = 10\ \text{Nm}$의 일을 하였다고 말한다. 또한, 10 km를 걸어가는데 2시간이 걸렸다면 $10\ \text{km} \div 2\ \text{h} = 5\ \text{km/h}$, 즉

시속 5 km라 한다.

곱 셈 : $2y \times 3z = 6yz$
나눗셈 : $6y \div 2x = 3y/x$

→

$5\ \mathrm{N} \times 2\ \mathrm{m} = 10\ \mathrm{N \cdot m}$
$10\ \mathrm{km}/2\ \mathrm{h} = 5\ \mathrm{km/h}$

참조

문자식과의 비교

1. 덧셈과 뺄셈 :
   동일한 차원은 연산 가능

   $5x + 2x = (5+2)x = 7x$ ← 덧셈의 분배법칙

   $5\ \mathrm{m} + 2\ \mathrm{m} = (5+2)\ \mathrm{m} = 7\ \mathrm{m}$

   $5\ \mathrm{m} + 2\ \mathrm{cm} = 500\ \mathrm{cm} + 2\ \mathrm{cm} = (500+2)\ \mathrm{cm} = 502\ \mathrm{cm}$
   ← 단위환산이 필요

   다른 차원은 연산이 불가능

   $5x + 2y$ → 연산 불가

   $5\ \mathrm{m} + 2\ \mathrm{kg}$ → 다른 차원은 연산 불가

2. 곱셈과 나눗셈 : 무조건 연산 가능

   $10a \times 2b = 10 \times a \times 2 \times b = (10 \times 2) \times (a \times b) = 20ab$
   ← 곱셈의 교환법칙

   $5\ \mathrm{N} \times 2\ \mathrm{m} = 5 \times \mathrm{N} \times 2 \times \mathrm{m} = (5 \times 2) \times (\mathrm{N} \times \mathrm{m}) = 10\ \mathrm{Nm}$

2. 단위환산

앞 절에서와 같이 2 m를 200 cm로 바꾸는 것을 단위환산이라 한다. 즉, 어떤 단위(m)와 수치로 표기된 물리량은 다른 단위(cm)와 수치로 변환시키는 것을 말한다. 예를 들면, 2 m를 cm단위로 바꿀 때와 같이 한 단위에서 다른 단위로 변환시킬 때, 환산인자(conversion factor) 또는 환산계수라는 것을 곱한다.

$$2\text{ m} \times (\text{환산인자})$$

이때 곱해지는 환산인자는 일종의 단위 사이의 비율로 $\frac{100\text{ cm}}{1\text{ m}}$ 이다.

$$2\text{ m} \times \frac{100\text{ cm}}{1\text{ m}} = 200\text{ cm}$$

환산인자를 곱한 뒤, 수끼리 계산하고 단위들을 약분하면 200 cm가 된다.

선생님, '환산인자'라는 말이 너무 어려워요. 그리고 100을 곱했는데 어떻게 동일한 값이 되죠?

그렇군, 그러면 환산인자에 대하여 상상력을 발휘하자.

수학적으로 숫자만 고려하면 $1 = 1$이고 $1 \neq 100$이지만, 단위가 붙은 이 값들을 물리적인 의미로 생각해보면 $1\text{ m} \neq 1\text{ cm}$이지만 $1\text{ m} = 100\text{ cm}$가 된다.

$$1\text{ m} = 100\text{ cm}$$

여기에 수학적인 요소를 첨가하자. 이 식의 양변에 100 cm(또는 1 m)를 나누면

$$\frac{1\text{ m}}{100\text{ cm}} = 1 \quad \text{또는} \quad \frac{100\text{ cm}}{1\text{ m}} = 1$$

이 되고, 왼쪽항들을 환산계수 또는 환산인자(conversion factor)라고 한다. 환산인자는 수학적인 의미로는 두 단위들의 비율을 의미하지만, 물리적 의미로는 분자의 물리량과 분모의 물리량이 같으므로 1이 된다. 또한 수학에서 곱셈의 항등원인 1은 어떤 수(A)에 곱해도 그 값이 변하지 않는 것처럼,

$$A \times 1 = A$$

물리적인 의미로 (환산인자)=1이므로 어떤 물리량에 곱해도 그 물리량을 변화시키지 않는다.

$$(\text{물리량 } A) \times 1 = (\text{물리량 } A)$$

$$(\text{물리량 } A) \times (\text{환산인자}) = (\text{물리량 } A)$$

따라서 식 (2.1)에서 2 m를 cm단위로 바꾸는 과정으로, 2 m에 다음 환산계수를 곱하여 만들어지는 200 cm는 원래 2 m의 물리적인 크기는 동일하고, 물리량을 표현하는 기존의 단위를 다른 단위로 전환시킬 뿐이다.

$$2\text{ m} \times \text{환산인자} = 2\text{ m} \times \frac{100\text{ cm}}{1\text{ m}} = 200\text{ cm}$$

'환산인자'를 물리적인 의미로 수학의 1이라고 생각하니깐, 어떤 물리량에 환산인자를 곱해도 그 물리적인 양의 크기는 변하지 않고 동일하군요.

이제, 25 kg을 lb 단위로 환산해보자. 우선 '1 kg은 453.59 lb와 같은 질량이다.'를 다음 식과 같이 나타낸다.

$$1\text{ kg} = 453.59\text{ lb}$$

양변에 1 kg을 나누면 좌변의 값은 1이 되고, 이것은 곧 우변의 값도 1에 준한다는 뜻이 된다.

$$1 = \frac{453.59\text{ lb}}{1\text{ kg}}$$

25 kg에 환산인자를 곱하고 분자의 kg과 분모의 kg을 약분하자.

$$25\text{ kg} \times \frac{453.59\text{ lb}}{1\text{ kg}} = \frac{25\ \cancel{\text{kg}} \times 453.59\text{ lb}}{1\ \cancel{\text{kg}}} = 11{,}339.75\text{ lb}$$

이제, 단위환산을 두 번 연속으로 하고 간결하게 표현해 보자.

예제 2.1

700 mmHg를 MKS 단위계로 변환하라.

Solution

760 mmHg = 101,325 Pa이고 1 Pa = 1 kg/m sec²이므로 이 둘을 각각 760 mmHg와 1 Pa로 나누어서, 700 mmHg에 곱하고 단위를 약분하고 수를 계산하면 다음 단위의 값을 얻는다.

$$700\ \text{m}\cancel{\text{mHg}} \times \frac{101{,}325\ \cancel{\text{Pa}}}{760\ \text{m}\cancel{\text{mHg}}} \times \frac{1\ \text{kg/m sec}^2}{1\ \cancel{\text{Pa}}} = 93{,}325\ \text{kg/m sec}^2$$

곱하기 '×' 표기 대신 세로 직선(|)으로 대치하면, 단위환산과정을 간결하게 표기할 수 있다. 단위환산 마지막 위치에도 세로 직선(|)을 사용하여 단위환산을 마무리한다.

$$700\ \text{m}\cancel{\text{mHg}} \left| \frac{101{,}325\ \cancel{\text{Pa}}}{760\ \text{m}\cancel{\text{mHg}}} \right| \frac{1\ \text{kg/m sec}^2}{1\ \cancel{\text{Pa}}} \right| = 93{,}325\ \text{kg/m sec}^2$$

이제 단위환산을 도식화해 보자.

시작박스 안에 제기된 수식을 쓰고, 시작박스 아래로 화살표를 긋고 이 화살표의 우변에 필요한 관계 단위식을 차례로 표기한다. 그 후 아래박스에 환산인자를 구성해서 나열해 간다.

시작박스: 700 mmHg

적용식:
← 760 mmHg = 101,325 Pa
← 101,325 Pa = 1 kg/m sec²

계산하기:

$$700\ \text{mmHg} \left| \frac{101{,}325\ \text{Pa}}{760\ \text{mmHg}} \right| \frac{1\ \text{kg/m sec}^2}{1\ \text{Pa}} \right| = 93{,}325\ \text{kg/m sec}^2$$

요렇게 표현하니 복잡해 보이던 과정이 한눈에 쏙 들어오네요.

환산과정이 익숙해지면 도식화 과정은 불필요해진다.

예제 2.2

10 N을 dyn단위로 환산하시오.

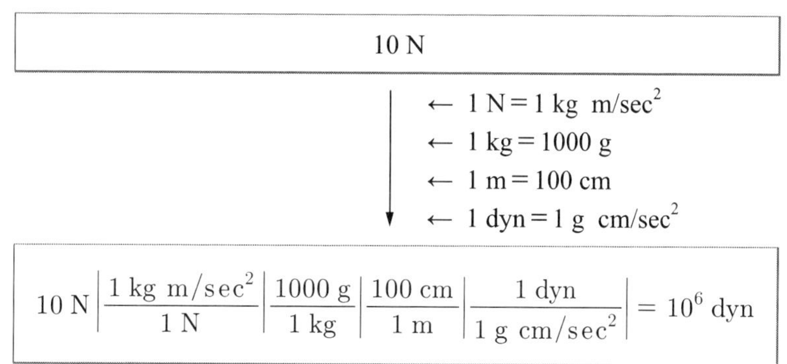

단위의 접두어

> 다음은 단위의 접두어에 대하여 알아보자.

서양에서 들여온 수 체계는 천(1000) 단위를 사용하여, 10^3, 10^6, 10^9 등을 thousand, million, billion으로 표기하고 단위로 사용할 때는 10^3 대신 kilo(k), 10^6은 mega(M) 및 10^9은 giga(G)를 붙인다.

예를 들면 235,000 m는 235×10^3 m가 되고 여기에 10^3 대신에 kilo(k)를 붙여서 235 km라 한다. 20,000,000 bite의 경우 20×10^6 bite로 표현하고 10^6 대신에 mega(M)를 붙여서 20 Mbite라 한다. 반대로 작은 수 0.025 m는 25×10^{-3} m가 되고 이를 10^{-3} 대신 mili(m)를 붙여서 25 mm라고 표기한다. 그 외에도 자주 쓰이는 10^{-2}과 10은 centi(c)와 deci(d)를 사용한다. (동양권의 수 체계는 만단위 즉 10^4를 사용한다. 예를 들면 일십백천 일만십만백만천만 일억십억백억천억…)

표 2-1 단위계 접두어

약자	T	G	M	k		m	μ	n	p
접두어	tera	giga	mega	kilo		mili	micro	nano	pico
배수	10^{12}	10^{9}	10^{6}	10^{3}		10^{-3}	10^{-6}	10^{-9}	10^{-12}

h	da		d	c
hecto	deca		deci	centi
10^{2}	10^{1}	1	10^{-1}	10^{-2}

예제 2.3

0.0034 cm를 μm단위로 변환하여라.

Solution

$1\ \text{m} = 10^2\ \text{cm}$, $1\ \text{m} = 10^6\ \mu\text{m}$를 사용하여 단위환산을 하면

$$0.0334\ \text{cm} \left| \frac{1\ \text{m}}{10^2\ \text{cm}} \right| \frac{10^6\ \mu\text{m}}{\text{m}} \right| = 334\ \mu\text{m}$$

단위관계식에 마이너스지수인 $1\ \text{cm} = 10^{-2}\ \text{m}$, $1\ \mu\text{m} = 10^{-6}\ \text{m}$를 사용해도 된다구요?

물론이지. 한번 해 보자.

$$0.0334\ \text{cm} \left| \frac{10^{-2}\ \text{m}}{1\ \text{cm}} \right| \frac{1\ \mu\text{m}}{10^{-6}\ \text{m}} \right| = 334\ \mu\text{m}$$

도식화

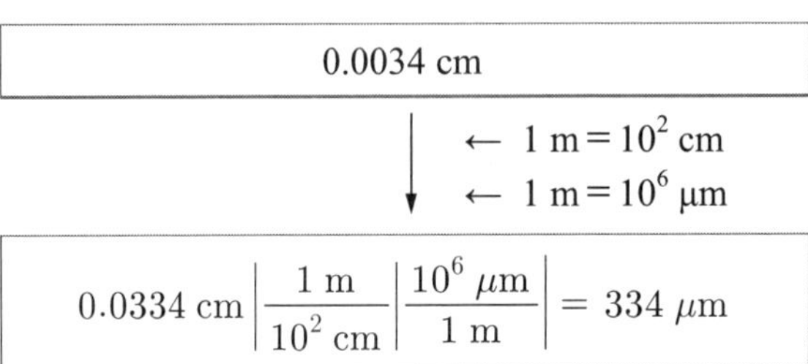

Lesson 3 과학적 표기법과 유효숫자의 연산방법

이 장에서 아주 큰 숫자나 아주 작은 숫자를 표현하는 과학적 표기법을 익히고, 유효숫자를 이해하자.

1. 과학적 표기법

물질의 양을 Avogadro수로 다루며 매우 큰 수로 표현하는 반면에 전자 같은 소립자의 질량은 아주 작은 숫자를 표현한다. 예를 들면 탄소 12 g은 602,000,000,000,000,000,000,000개의 탄소원자가 존재하고, 탄소원자 한 개의 질량은 0.000,000,000,000,000,000,000,199 g이 된다. 전자와 같이 너무 큰 숫자이거나 후자와 같이 너무 작은 숫자를 표기하기 위해 숫자 '0'을 연이어 사용하면 반복된 수를 읽기 불편하거나 숫자 0을 누락하기 쉽다. 이러한 실수를 최소화하기 위하여, 10의 거듭제곱을 사용하여 나타낸다. 이를 과학적 표기법(scientific notation)이라 한다.

과학적인 표기법은 0이 아닌 부분(N)과 0인 부분의 거듭제곱(10^n)으로 나타내는 방법이다.

$$\text{형태 : } N \times 10^n \qquad \text{여기서, } 1 \le N < 10,\ n\text{은 정수.}$$

N은 1 이상에서 10 미만의 숫자이고, n은 양 또는 음의 정수로 표현된 제곱지수이다.

예를 들면 주어진 수가 1보다 큰 수 602000000000000000000000를 확인해보자.

주어진 수가 1보다 큰 경우 소수점을 왼쪽으로 이동시켜서 10번 이동시키면 거듭제곱의 지수는 양수 10이 된다.

$$60200000000000.0000000000 \times 10^{10}$$

20번 이동시키면 20승이 되지만, 0이 아닌 부분이 아직 과학적 표기법($1 \leq N < 10$)을 충족하지 못한다.

$$6020.0000000000 \times 10^{20}$$

같은 방법으로 탄소원자의 수는 6.02×10^{23}으로 나타내면 과학적 표기법($1 \leq N < 10$)을 만족한다.

이제는 수가 1보다 작은 수인 0.0000000000000000000000199의 소수점은 오른쪽으로 22번 이동시키면 10 거듭제곱의 지수가 음의 정수값을 가진다.

따라서 과학적 표기법은 1.99×10^{-22}이 된다.

종종 0.000348을 0.348×10^{-3}라고 표기하고 싶으나, N이 $1 \leq N < 10$의 범위임을 상기하여 3.48×10^{-4}으로 표기해야 함을 상기하기 바란다.

과학적인 표기법의 연산방법에 대하여 알아보자.

덧셈과 뺄셈

과학적 표기법의 덧셈과 뺄셈은 제시된 수를 10 거듭제곱의 지수의 수를 동일한 값을 갖게 하고 나머지 N부분을 연산한다. 예를 들면, $(3.48 \times 10^5) + (5.2 \times 10^4)$의 계산 시, 10 거듭제곱의 지수를 10^4(또는 10^5)로 통일시킨 후 N부분을 계산하면 다음과 같은 결과를 얻을 수 있다.

$$(34.8 \times 10^4) + (5.2 \times 10^4) \ = \ (34.8 + 5.2) \times 10^4 \ = \ 40.0 \times 10^4$$

이 계산값은 과학적 표기법을 제대로 나타낸 것으로 볼 수 없다. 다시 한 번 N의 범위를 고려하여 4.0×10^5으로 나타낸 것이 올바른 과학적 표기법이다.

비교 : $(348000) + (52000) = 400000 = 4.0 \times 10^5$

곱셈과 나눗셈

과학적 표기법의 곱셈과 나눗셈은 N부분과 거듭제곱의 부분을 각각 계산해 주어야 한다. 주어진 수들의 나눗셈 과정은 다음과 같다.

$$(3.48 \times 10^5) \div (5.0 \times 10^3) = (3.48 \div 5.0) \times (10^5 \div 10^3) = 0.696 \times 10^2$$

다시 한 번 N의 범위를 고려하여 6.96×10이 올바른 과학적 표기법이다.

2. 유효숫자

어떤 물건의 수를 세는 것, 즉 '교실에 10개의 책상이 있다'고 표현한다. 책상의 수를 9.5개라 하거나 10.6개라고 세지는 않는다. 딱 10개라고 말한다. 이렇게 정확한 한계를 가지는 수를 완전수(exact number)라 한다. 하지만, 어떤 물체의 질량을 측정한 값은 완전수가 아니다.

(1) 어림값

여러분이 사과의 질량을 어떤 저울 A(십의 자리까지 측정 가능)로 측정하니 200 g이었다. 우리는 그 사과의 질량을 정말 200 g이라 말할 수 있는가? 이번에는 보다 정밀한 저울 B(일의 자리까지 측정 가능)로 측정하니 201 g이었다. 그 다음에는 이 사과를 덜 정밀한 저울 C(소수둘째자리까지 측정 가능)을 사용하였더니 201.43 g으로 표시되었다.

저울 A	200 g
저울 B	201 g
저울 C	201.43 g

사과의 질량은 200 g? 201 g? 201.43 g? 셋 중에 무엇인가요?

사과의 질량은 교실 책상의 수처럼 딱 잘라 얼마라고 정확히 알 수는 없단다.

그러면 사과의 질량이 200 g이든 201 g이든 201.43 g으로 다양하게 측정되는 이유는 무엇인가? 이 측정값들은 저울의 정밀도에 따른 어림잡은 값이다. 이를 어림값이라 한다. 측정을 통해 얻어진 어림값은 측정 도구의 정밀도에 따라 어느 정도 불확실도 즉 오차를 포함하고 있다.

(2) 측정값의 오차

측정된 값은 어느 정도의 신뢰성을 가지는지 알아보자.

저울 A와 같이 측정치 최소단위가 10 g인 저울은 사물의 질량을 … 180, 190, 200, 210 …와 같이 측정한다. 이 저울 A로 측정된 사과의 실제 질량이 190～200 g 사이에 존재하면서 190 g 가깝다면 저울은 190 g으로 읽겠지만 200 g에 더 가깝다면 200 g이라 표현한다. 또한 200～210 g 사이에서 200 g 가깝다면 200 g으로 표현하고 210 g에 더 가깝다면 210 g이라 읽는다. 따라서 사과의 질량 측정값인 200 g의 실제 질량은 195와 205 사이에 존재한다는 뜻이 된다. 오차의 범위는 200 g 전후의 5 g 된다. 즉, 최소눈금(10 g)의 1/2인 ±5 g을 오차의 범위라 한다.

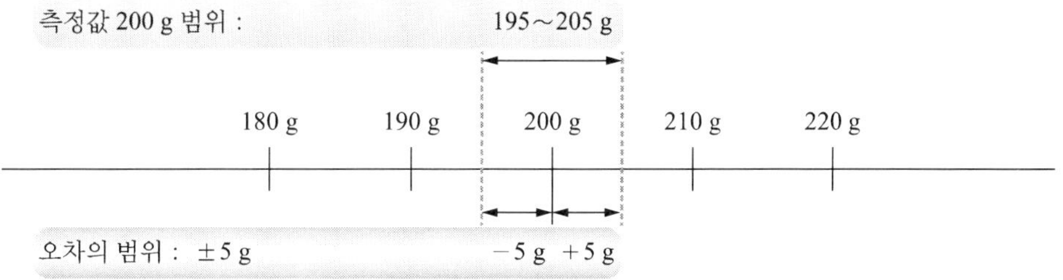

이처럼 측정값은 측정장비의 불확실도를 가지고 있으므로, 최근 측정값에 대한 불확실도의 한계를 표현하기 위하여 다음과 같이 오차의 범위를 함께 표현한다.

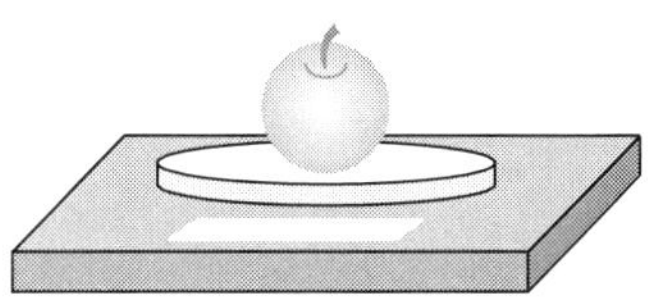

	저울에 나타나는 값	공학적 표기	실제 질량이 존재하는 범위
저울 A	200 g	200 g ±5 g	195～205
저울 B	201 g	201 g ±0.5 g	200.5～201.5
저울 C	201.43 g	201.43 g ±0.005 g	201.425～201.435

(3) 유효숫자

측정한 수(number)를 구성하는 수(digit)들이 신뢰할 수 있는 것인가를 살펴보자.

십의 자리까지 측정 가능한 저울 A로 측정해서 200 g이 나왔다면, 마지막 수(digit) 0은 전체 수 크기를 나타내는 데 필요할 뿐 저울이 의미를 부여한 수가 아니다. 반면에 처음 두 수(digit) 2, 0은 측정 장치인 저울로 측정된 신뢰할 수 있는 수가 되고 이를 유효숫자라고 한다. 일의 자리까지 측정 가능한 저울 B로 측정된 결과 200 g이었다면 2, 0, 0 모두 측정값에 의미 있는 수가 된다. 위의 201 g은 일의 자리까지 측정한 수이므로, 2, 0, 1 모두 측정값에 의미 있는 수가 되고, 201.43 g이 소수둘째자리까지 측정 가능한 저울로 측정되었다면, 2, 0, 1, 4, 3 모두 의미 있는 수가 된다. 이렇게 어림값의 경우 측정된 신뢰할 수 있는 숫자(digit)를 유효숫자라 한다.

0.023 g은 적어도 소수셋째자리까지 측정 가능한 저울로 측정되었다고 볼 수 있고, 2, 3은 반드시 유효숫자가 된다. 반면에 앞에 나열된 0은 의미가 없고 단지 숫자의 크기를 나타내는데 필요할 뿐이다. 만약 0.023 g이 소수넷째자리까지 정확도를 가진 저울로 측정한 것이라면 반드시 넷째자리에 digit 0을 더하여 0.0230 g으로 표기해야 소수넷째자리까지 정확도를 가진 측정값이라는 것을 나타낼 수 있으며 유효숫자는 2, 3, 0이 된다.

유효숫자 표기법

어떤 수(number)의 유효숫자를 표기하는 몇 가지 규칙이 있다. 이 규칙은 매우 복잡해 보이지만 우리는 digit 0을 기준으로 생각하면 보다 쉽다.

1) digits 1, 2, 3, 4, 5, 6, 7, 8, 9는 모두 유효숫자이다.
2) digit 0은 유효숫자인 경우 반드시 표기한다.
   a. digits(1, 2, 3, 4, 5, 6, 7, 8, 9) 사이의 0은 유효숫자이다. 즉 2005 g의 유효숫자인 2와 5 사이에 있는 두 개의 0들은 모두 유효숫자이다. 따라서 2005의 유효숫자들은 2, 0, 0, 5가 된다. 마찬가지로 76.05의 유효숫자는 7, 6, 0, 5가 된다.
   b. 소수점 이하 오른쪽 끝자리의 0은 유효숫자이다. 0.0520 g은 5와 2와 그 다음의 0은 유효숫자이다. 유효숫자가 아니라면 0.052 g으로 끝자리 0은 표기하지

않는다.

c. 정수이 끝자리에 소수점이 있는 경우 0은 유효숫자이다. 2300 g의 유효숫자는 2, 3, 0, 0이다.

3) 0이 유효숫자가 아니라도 그 수(number)의 크기를 결정하기 위해 0을 표기한다.

a. 소수점이 없는 정수의 끝자리의 0은 유효숫자가 아닌 경우라도 수의 크기를 나타내야 하므로 0을 사용한다. 즉 2300 g의 0은 유효숫자인지 아닌지 정확히 알 수 없지만 수의 크기를 알리기 위해 표기한다. 즉 유효숫자가 2, 3인지 2, 3, 0인지 2, 3, 0, 0인지 정확히 알 수 없고 이는 측정도구의 정밀도에 따라 다르다.

b. 1 보다 작은 소수의 왼쪽 끝의 0은 유효숫자가 아니지만, 수의 크기를 나타내기 위하여 0을 사용한다. 즉, 0.035처럼 소수인 경우는 첫 머리에 있는 0들은 유효숫자가 아니지만 표기한다. 유효숫자는 3, 5이다.

우리는 앞서 어떤 수(number)의 오른쪽 끝의 0이 유효숫자일 경우도 있고 아닌 경우도 있다는 것을 배웠다. 예를 들면 2010 g의 일의 자리의 0이 유효숫자가 아니라 해서 이를 생략해 버리면 201 g이 되어서 크기가 변한다. 따라서, 질량 2010 g을 표현하기 위해 일의 자리의 0은 유효숫자가 아니더라도 그냥 남겨 두어야 한다. 따라서 수(number) 오른쪽 끝 0이 수(number)의 크기를 표현하는 경우 비록 '0'이 유효숫자가 아니라도 생략할 수 없다. 같은 맥락으로 0.023 g의 23은 유효숫자이고 왼쪽의 두 0은 유효숫자가 아니더라도 남겨 두어야 한다. 만약 0이 유효숫자가 아니라 생략해 버리면 23 g이 되기 때문이다. 1 이하의 수에 있어서 왼쪽에 유효숫자가 아닌 0을 사용하는 이유는 수의 크기를 결정하기 때문에 생략하지 않는다. 하지만 234.10 g의 경우 마지막 0이 유효숫자인 경우 그대로 234.10 g로 표기하지만, 유효숫자가 아닌 경우 0을 제거하여 234.1 g이라 표현한다. 수(number)의 크기가 변하지 않는 경우는 유효숫자가 아닌 0을 제거한다. 234.10 g의 측정값은 소수둘째자리까지 측정 가능한 저울을 사용했다는 의미이고, 234.1 g의 측정값은 소수첫째자리까지 측정 가능한 저울을 사용했다는 의미가 된다.

이제는 234.10 g과 234.1 g로 표기된 차이점에 대하여 이야기하자.

이 두 수는 측정도구의 정밀도를 알 수 있다. 전자의 234.10 g을 측정한 저울은 소수둘째자리까지 표기되는 저울로 측정되었으며, 이 저울들이 표기 가능한 아래 자릿수에서 반올림이 되었다면 측정값 $x = 234.10$ g은 실제값이 존재하는 범위가 $234.095 \leq x < 234.105$임을 나타내는 것으로 오차범위가 0.005가 된다. 반면에, 234.1 g은 소수첫째자리까지 표기되는 저울로 측정되었다는 것을 암시하며, 측정값 234.1 g의 실제값이 존재하는 범위가 $234.05 \leq x < 234.15$로 그 오차범위는 0.05가 된다.

측정값	234.1 g	234.10 g
실제값 x가 존재하는 범위	$234.05 \leq x < 234.15$	$234.095 \leq x < 234.105$
오차범위	0.05	0.005

3. 유효숫자를 고려한 연산

유효숫자들의 연산은 어떻게 하는지 알아보자.

(1) 덧셈과 뺄셈

: *연산 결과값은 유효숫자의 최소 자릿수가 보다 큰 수에 따른다.*

연필의 길이가 13.4 cm이고, 책의 길이가 10 cm라면 이 두 물건의 길이를 더했을 때 23.4 cm라고 해도 될까?

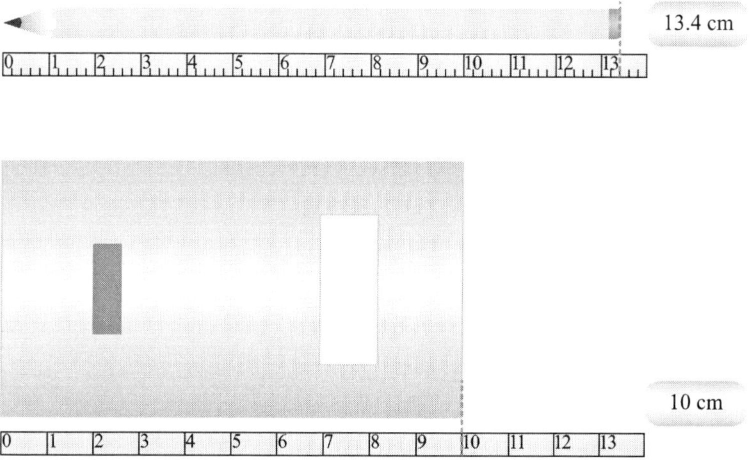

만약 23.4 cm라면 두 물건의 합의 길이의 측정 정밀도가 소수첫째자리까지 신뢰할 수 있다라는 의미가 된다. 하지만 비록 연필의 길이가 소수첫째자릿수까지 신뢰할 수 있다고 하더라도, 책의 길이를 측정한 자는 일의 자리까지 표기된 도구로 측정된 값이므로 그 합은 일의 자리까지 신뢰할 수는 있으므로 23 cm이라고 한다.

$(5.14\times10^3)+(3.6\times10^2)$을 계산해 보렴

$(5.14\times10^3)+(3.6\times10^2)=5140+360=5500$이 되고, 이것을 과학적 표기법에 맞추면 5.5×10^3가 되요.

땡~~ 틀렸어, 5.50×10^3가 올바른 표현이야.

아니 왜요?

5.14×10^3의 유효숫자는 5, 1, 4이고, 3.6×10^2의 유효숫자는 3, 6으로, 두 숫자 모두 십의 자릿수가 모두 유효숫자이므로 덧셈 결과도 십의 자리까지 표기해야 하므로 $\underline{514}0+\underline{36}0=\underline{550}0=\underline{5.50}\times10^3$이 된다.

(2) 곱셈과 나눗셈

: *결과값은 유효숫자의 개수가 적은 수의 유효숫자를 가지도록 한다.*

아주 얇은 시트의 길이를 측정하여 다음과 같이 그 부피를 계산하자.

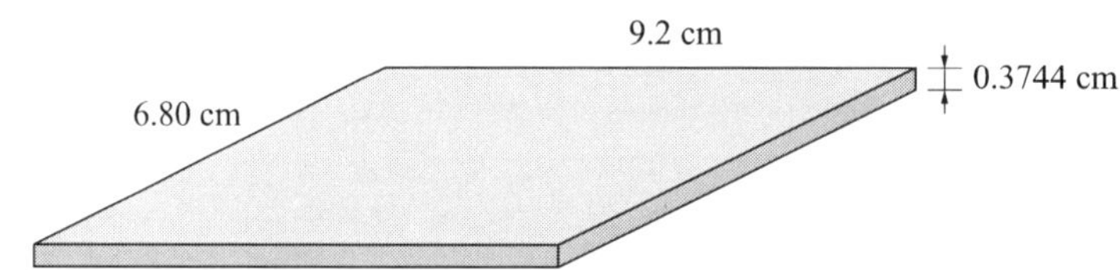

이 시트의 부피는 $9.2\text{ cm}\times6.80\text{ cm}\times0.3744\text{ cm}=23.4225\text{ cm}^3$로 계산한다. 그러나 올바른 계산값은 23 cm^3이다. 왜냐하면 이 연산에 사용된 수들의 유효숫자의 개수는 각각 2개, 3개, 4개이기 때문에 곱셈과 나눗셈의 결과값은 그 숫자들의 세 수 중 유효숫자가 가장 적은 2개가 되도록 표현한다.

$(5.14\times10^3)\div(3.6\times10^2)$을 계산해보렴

$(5.14\times10^3)\div(3.6\times10^2)=(5.14\div3.6)\times(10^3\div10^2)=1.42777\cdots$ $\times100$이 되는데… 이건 어떻게 표현하지요?

차근차근 생각해보면 5.14×10^3의 유효숫자는 3개이고, 3.6×10^2는 2개이므로 나눗셈의 유효숫자는 2개로 맞춘다.

유효숫자를 2개로 만들면 1.4×100이 되군요. 그런데 $0.02777\cdots$을 막 버려도 되나요?

이제 반올림 규칙에 대하여 알아보자.

(3) 반올림규칙

계산에서 적절한 유효숫자의 개수나 소수점 아래 자릿수를 맞추기 위하여 반올림의 규칙을 이해하자.

1) 제거되는 자리의 수(digit)가 5보다 작으면 그냥 버리고 그 앞의 숫자에 영향을 주지 않는다.
2) 제거되는 자릿수가 5보다 크면, 앞의 수에 1을 더한다.
   예를 들면, 어떤 계산결과의 값이 5.379이고, 그 유효숫자가 3개이면 소수셋째자릿수의 9를 반올림하여 5.38로 표기하며, 유효숫자가 2개이면 소수둘째자릿수의 7을 반올림하여 5.4로 표기하며, 유효숫자가 1개이면 소수첫째자릿수의 3은 버리고 5로 표기한다.

5.379 g	유효숫자 3개	5.38 g
	유효숫자 2개	5.4 g
	유효숫자 1개	5 g

3) 제거되는 숫자가 5일 때, 그 앞의 숫자가 홀수이면 1을 증가시키고, 짝수이면 변하지 않는다. 예를 들면, 19.75의 5를 반올림할 때 앞 자릿수 7은 홀수이므로 반

올림하여 8이 되어 19.8이 되지만, 19.65의 5를 반올림하면 앞 자릿수가 6인 짝수이므로 19.6 그대로가 된다.

4) 만약 제거되는 digit 5 뒤에 0이 아닌 다른 숫자가 있으면 두 번째 규칙을 따르나, 5 뒤에 0이 있으면 세 번째 규칙을 따른다. 즉 17.651은 17.7이 되나, 17.650은 17.6이 된다.

다단계 계산에서는 항상 1～2 유효숫자를 더 가지고 있다가 마지막 답을 구할 때만 반올림한다.

예제 3.1

유효숫자를 고려한 더하기와 빼기 연산

Solution

(1) 27.24 m + 10.3 m

$$\begin{array}{r} 27.24\ \text{m} \\ +\ 10.3\ \text{m} \\ \hline \end{array}$$

37.54 m가 된다. 그러나 정답은 37.5 m가 된다.

(2) 27.87 g − 21.2342 g

$$\begin{array}{r} 27.87\ \text{g} \\ -\ 21.2342\ \text{g} \\ \hline \end{array}$$

6.6358 g이 되지 않고 6.64 g이 된다.

예제 3.2 유효숫자의 곱셈과 뺄셈

가로 1.23 cm와 세로 12.34 cm의 직사각형의 면적은 얼마인가?

Solution

넓이 = 1.23 cm × 12.34 cm = 15.1782가 되나, 정답은 15.2 cm^2이 된다.

즉, 계산에 사용된 두 수의 유효숫자의 개수는 각각 3개와 4개이므로 계산결과는 3개의 유효숫자에 따른다.

Lesson

4

질량, 밀도와 비중

앞으로의 내용을 계산의 편의성을 위해서 유효숫자에 관한 적용은 잠시 내려놓자.

1. 질량

질량(mass)은 물체가 가지는 고유의 양으로 위치나 속도에 따라 변화하지 않는다. 질량의 차원은 [M]으로 표기하고, 질량은 기본단위로 kg, g, lb 등이 사용된다. 이들 질량 단위의 양적관계는 다음과 같다.

$$1\ \text{kg} = 1{,}000\ \text{g}$$

$$1\ \text{lb} = 0.45359\ \text{kg}$$

간혹, 질량과 무게를 혼동하는 경우가 있다. 하지만 무게는 질량이 아니다. 질량을 측정한다는 것은 그 물체에 얼마나 많은 물질이 존재하는가를 측정하는 것이고, 무게를 측정하는 것은 그 물체가 중력으로 인해 얼마나 많이 당겨지는지를 측정하는 것이다. 따라서 질량은 중력과 관계없는 물질의 기본속성인 반면에, 무게는 중력의 존재하에서 생성되는 힘이다. 힘에 관해서는 Lesson 5에서 살펴보기로 한다.

2. 밀도

밀도는 단위 체적당 질량이므로 차원은 $[ML^{-3}]$이 된다. 밀도는 density의 약자 d로 표기하거나 ρ를 주로 사용한다. 밀도는 온도와 압력에 따라 변한다. 주로 사용되는 단위는 유도단위로 kg/m^3, g/cm^3, lb/ft^3 등이다.

일반적으로 어떤 물체의 밀도(ρ)는 그 물체의 질량(W)을 그 물체가 차지하는 부피(V)로 나눈 것으로 정의된다.

$$\rho = \frac{W}{V} \tag{4.1}$$

위 밀도식의 양변에 V를 곱하면 다음 식이 된다.

$$\rho V = W$$

물체의 부피에 그 물체의 밀도를 곱하여 그 물질의 질량을 알 수 있다.

또, 위 식에 밀도를 나누면 그 물질의 부피를 알 수 있다.

$$V = \frac{W}{\rho}$$

이처럼 밀도식을 다양하게 변화하여 질량과 부피를 구하는데 사용할 수 있다.

예제 4.1

어떤 온도에서 47.3 mL는 37.32 g의 질량을 갖는 에탄올의 밀도(g/mL)를 구하라.

Solution

밀도의 정의 식 (4.1)에 의하여

$$\rho = \frac{W}{V} = \frac{37.32\ \mathrm{g}}{47.3\ \mathrm{mL}} = 0.789\ \mathrm{g/mL}$$

예제 4.2

어떤 화학반응에서 에탄올이 116 g이 필요하다면 당신이 사용할 액체에탄올의 부피를 구하시오.

Solution

$$V = \frac{W}{\rho} = \frac{116\ \text{g}}{0.789\ \text{g/mL}} = 147\ \text{mL}$$

또한 기체의 밀도는 이상기체 상태방정식을 이용하여도 구할 수도 있다.

이상기체 상태방정식은 다음과 같다.

$$PV = nRT \tag{4.2}$$

여기서, P : 절대압력, V : 부피, n : 몰수, R : 이상기체 상수, T : 절대온도

이상기체 상수(gas constant)의 값은 다음과 같이 다양한 단위의 값을 가진다.

$$R = 0.08206\frac{\text{atm L}}{\text{mol K}} = 1.987\frac{\text{cal}}{\text{mol K}} = 8.3145\frac{\text{J}}{\text{mol K}} = 8.3145\frac{\text{Pa m}^3}{\text{mol K}}$$

이상기체 상태식에 몰수 $n = W/M_w$(W는 질량, M_w는 분자량)이고, 이를 식 (4.2)에 대입하면

$$PV = \frac{W}{M_w}RT$$

양변에 M_w/VRT를 곱하면 기체의 밀도식이 만들어진다.

$$\frac{PM_w}{RT} = \frac{W}{V} \quad (= \rho)$$

$$\rho = \frac{PM_w}{RT}$$

예제 4.3

Q&A

15℃, 1.5기압에서 질소가 가지는 밀도(g/mL)는 얼마인가?

Solution

절대온도 $T = 273.15\ \text{K}$, $P = 1.5\ \text{atm}$, $M_w = 28\ \text{g/gmol}$

$$\begin{aligned}\rho &= \frac{PM_w}{RT}\\ &= \frac{1.5\ \text{atm} \times 28\ \text{g/gmol}}{0.08206\ \text{L atm/mol K} \times (273.15+15)\ \text{K}} = 0.01196\ \text{g/L}\end{aligned}$$

이를 단위환산을 하면 다음과 같다.

$$\begin{aligned}0.01196\frac{\text{g}}{\text{L}} \times \frac{1\ \text{L}}{1{,}000\ \text{mL}} &= 0.00001196\ \text{g/mL}\\ &= 1.196 \times 10^{-5}\ \text{g/mL}\end{aligned}$$

3. 비중

비중은 기준물질의 밀도에 대한 대상물질의 밀도의 비이다. 비중은 specific gravity 라 하고 축약하여 S.G.라 표현한다.

$$\text{S.G.} = \frac{\rho}{\rho_{ref}}$$

일반적으로 액체는 4℃의 물의 밀도(1.0 g/cm^3)를 기준물질의 밀도(ρ_{ref})로 사용하고, 기체의 경우 공기의 밀도를 주로 기준밀도로 사용한다.

표기방법에 있어서 20℃ 어떤 액체의 비중이 1.25라면 다음과 같이 기준물질과 대상물질의 온도를 표기하나, 액체와 고체의 경우는 생략할 수 있다.

$$\text{S.G.} = 1.25\frac{20℃}{4℃} = 1.25$$

또한 어떤 액체의 비중에 기준물질의 밀도를 사용하면 그 액체의 밀도를 구할 수 있다.

액체의 비중 × 기준물질의 밀도 = 액체의 밀도

$$1.25 \times 1.0\ \text{g/cm}^3 = 1.25\ \text{g/cm}^3$$

Lesson 5 힘, 일 및 압력

이 장부터 소개되는 힘, 일 및 압력은 3가지 기본차원인 질량, 길이 및 시간의 조합으로 이루어진 차원으로, 그 단위도 kg, m, sec 등을 함께 포함하여 복잡해지므로 이들 단위를 간단히 뉴턴(newton, N), 줄(joule, J), 파스칼(pascal, Pa)로 표기한다.

1. 힘

물체에 작용하여 물체의 모양을 변형시키거나 질량을 가진 어떤 물체의 운동 상태 즉, 속도나 방향을 변화시키는 원인을 힘이라 한다. 힘의 정의는 질량(m)과 가속도(a)의 곱이며, 그 차원은 $[\mathrm{MLT}^{-2}]$가 된다. 힘은 force의 첫 자 F로 표기한다.

$$F = ma \tag{5.1}$$

힘은 어떤 질량을 가지는 물체의 속도를 변화시키는 것으로, 어떤 힘이 질량 1 kg의 물체를 1초 동안 1 m/sec의 속도 변화를 일으켰다면, 그 힘의 크기를 1 kg m/sec^{2}라 하고, 이를 간략하게 1 N이라 한다. N은 뉴턴(newton)이라 읽는다.

힘 | 1 kg | t_1 | v_1 → $t_2 = t_1 + \Delta t$ $\Delta t = 1$ sec, $v_2 = v_1 + \Delta v$ $\Delta v = 1$ m/sec

$$F = 1\,\mathrm{kg} \times \frac{1\,\mathrm{m}}{\mathrm{sec}^2} = 1\,\mathrm{kg\ m/sec^2} = 1\,\mathrm{N}$$

동일한 질량에 가해진 힘의 크기가 크면 그 물체의 가속도는 비례하여 커진다. 동일한 질량을 가지는 1 kg의 물체에 가해지는 힘을 1 N에서 2 N으로 증가시키면 가속도가 1 m/sec^{2}에서 2 m/sec^{2}로 증가된다.

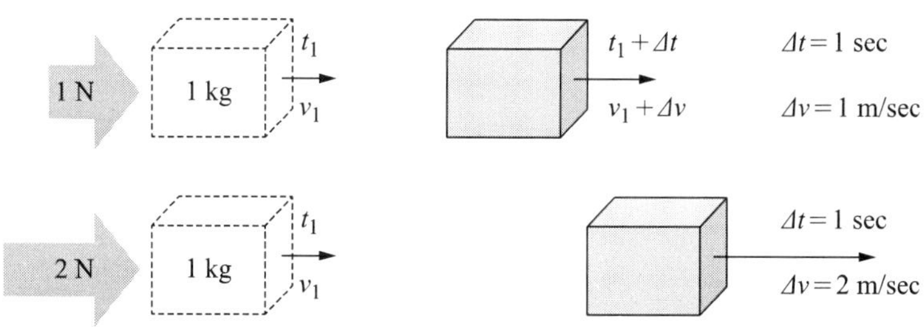

또한 동일한 힘이 가해진 물체의 질량이 작아지면 그 물체의 가속도는 커진다. 1 N의 힘을 질량 0.5 kg의 물질에 가했을 때 가속도는 2 m/sec^{2}이 된다. 이것은 1초 동안 2 m/sec의 속도가 빨라졌다는 의미이다.

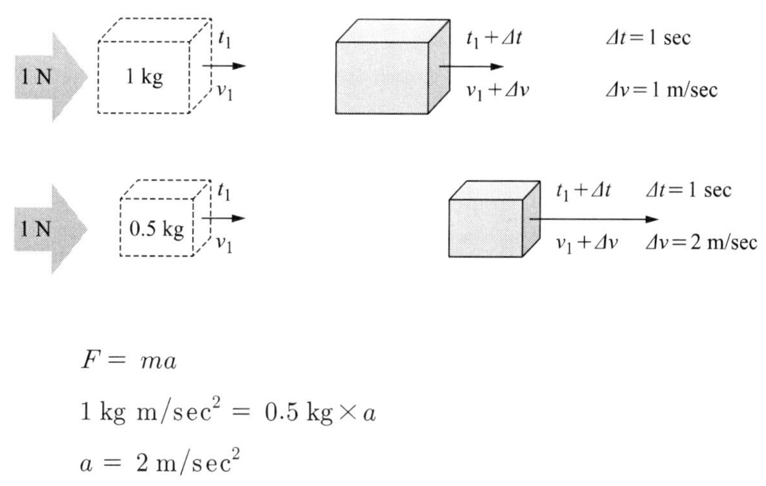

$$F = ma$$
$$1\ \mathrm{kg\ m/sec^2} = 0.5\ \mathrm{kg} \times a$$
$$a = 2\ \mathrm{m/sec^2}$$

중력

질량을 가지는 물체 사이에 작용하는 힘을 인력(중력)이라 한다. 인력의 정의는 일정거리(r)에 떨어진 질량(M, m)을 가지는 두 물체 사이에 작용하는 힘이고, 두 물체 사이의 인력의 크기는 물체들의 질량이 클수록 거리가 가까울수록 커진다.

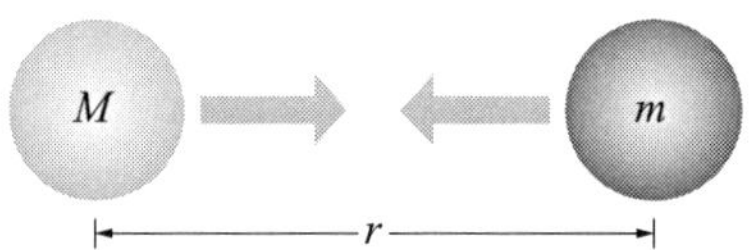

$$F = G\frac{Mm}{r^2} \tag{5.2}$$

인력의 식 (5.2)를 지구 중력에 관한 식 $F = mg$로 전환해 보자.

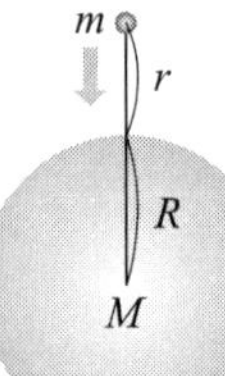

반지름 R인 지구(M)와 지구표면에서 일정거리(r)만큼 떨어진 물체(m) 사이에 작용하는 인력(중력)의 크기는 다음과 같다.

$$F = G\frac{Mm}{(R+r)^2} \tag{5.3}$$

지구와 물체 사이의 거리는 $R+r$이지만, 지구의 반지름(R)이 거리(r)보다 아주 크므로($R \gg r$) 거리 r을 무시하여 두 물체 사이의 거리를 R이라 하고, 지구의 질량(M)에 비해 물체의 질량(m)은 아주 작으므로($M \gg m$) 무시하면 식 (5.3)은 다음과 같다.

$$F = G\frac{Mm}{(R+r)^2} \approx m\frac{GM}{R^2}$$

G와 지구의 질량(M) 및 거리(R)은 일정한 값들이므로 이들을 묶어서 만든 GM/R^2은 상수값 9.8 m/sec^{2}이 된다. 이를 중력가속도(g)라 하면 식 (5.4)가 된다.

$$\frac{GM}{R^2} = \frac{G \times (5.972 \times 10^{24}\ \mathrm{kg})}{(6371\ \mathrm{km})^2} = 9.8\ \mathrm{m/sec^2} = g$$

$$F = mg \tag{5.4}$$

중력식 $F = G\frac{Mm}{(R+r)^2} \rightarrow F = mg$이 되었군요.

물체에 가해진 힘의 식은 $F = ma$라 하고, 지구에 의한 힘은 $F = mg$라 하며 모두 동일한 중력에 관한 식이다.

중력가속도

중력가속도는 지구상의 위도에 따라 조금씩 다르나, 위도 45°에서 측정되는 9.8 m/sec^{2}를 표준중력가속도라 한다.

지구상에서 물체를 관찰할 때 지구는 정지된 상태로 보고 지구상의 물체의 움직임만 관찰된다.

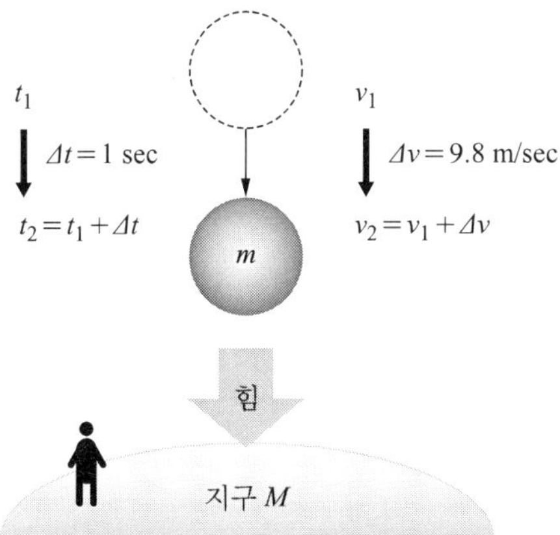

지구상에서 물체는 1초당 9.8 m/sec 속도로 빨라지면서 지구중심을 향해 가까워진다. 이 중력가속도는 9.8 m/sec^{2}이다.

지구상에서 1 kg의 물체에 가해진 중력은 다음과 같이 9.8이다.

$$F = mg = 1\ \text{kg} \times 9.8\ \text{m/sec}^2 = 9.8\ \text{kg m/sec}^2$$

$$1\ \text{kg}_\text{f} = 9.8\ \text{kg m/sec}^2 = 9.8\ \text{N}$$

1 kg$_\text{f}$는 9.8 kg m/sec^{2}를 간략하게 표기한 것으로 kg 단위에 아래첨자 f를 붙여서 힘(force)을 의미한다. 반면에 질량(mass)은 첨자 없는 'kg'이나 아래첨자 m을 붙여서 'kg$_\text{m}$'이라 표기한다.

또한 AE 단위계로 위도 45°를 기준으로 한 표준중력가속도는 32.174 ft/sec^{2}이다. 질량 1 lb의 물체가 받는 중력은 32.174 lb ft/sec^{2}가 되고, 1 kg$_\text{f}$와 유사하게 이를 1 lb$_\text{f}$라 표기한다.

$$F = mg = 1\,\text{lb} \times \frac{32.174\ \text{ft}}{\text{sec}^2} = 32.174\,\text{lb ft/sec}^2 = 1\,\text{lb}_\text{f}$$

$$1\,\text{lb}_\text{f} = 32.174\,\text{lb ft/sec}^2$$

kg_f와 lb_f처럼 질량 단위에 아래첨자로 f가 붙는 경우는 힘(force)을 의미하고, kg_m와 lb_m와 같이 아래첨자 m은 질량(mass)을 의미하나 첨자 없이 kg, lb를 사용하는 것이 일반적이다.

$1\,kg_f = 9.8\,kg_m m/sec^2$ (=9.8 N)
$1\,lb_f = 32.174\,lb_m ft/sec^2$

2. 일

에너지와 함께 동일한 차원을 갖는 일은 work의 첫 글자인 W로 표기하고, 그 차원은 $[ML^2T^{-2}]$이다. 일은 물체에 가해진 힘(F)과 그 힘이 작용하는 방향으로 물체가 이동한 거리(l)의 곱으로 정의된다.

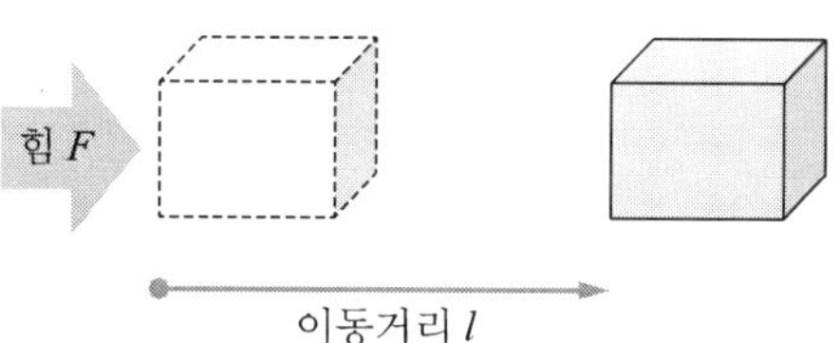

$$W = F \times l \tag{5.5}$$

여기서, W는 일, F는 힘 및 l은 힘이 가해진 방향으로 물체의 이동거리이다. 예를 들면, 어떤 물체에 1 N의 힘을 가하여 그 물체가 힘을 가하는 방향으로 1 m 이동되었다고 하자.

$$1\text{ N} \times 1\text{ m} = 1\text{ N} \cdot \text{m} = \frac{1\text{ kg m}^2}{\text{sec}^2} = 1\text{ J}$$

이 물체는 $1\text{ N} \cdot \text{m} = 1\text{ kg m}^2/\text{sec}^2$만큼의 일을 하였다고 하고 이를 간략하게 표기하여 1 J이라 한다. J는 줄(joule)이라 읽는다.

힘을 준 방향과 물체가 이동한 방향이 같지 않다면 한 일은 얼마가 되나요?

물체가 이동한 방향이 힘이 가해지는 방향에서 벗어나서 S만큼 이동하였다고 하자.

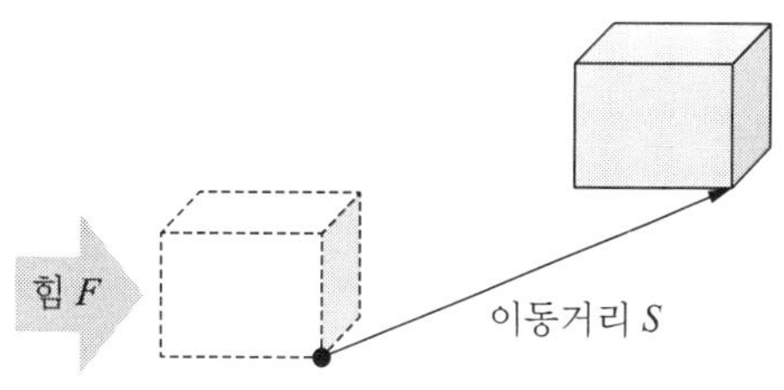

일의 정의에 의해 이동거리는 힘이 작용하는 방향으로 이동한 거리이어야 한다. 따라서 이동거리 S를 힘의 작용방향의 거리로 계산하기 위하여, 이동방향과 힘이 작용한 방향의 사잇각이 θ라 하면, 힘의 방향으로 작용한 이동거리는 $S\times\cos\theta$가 된다.

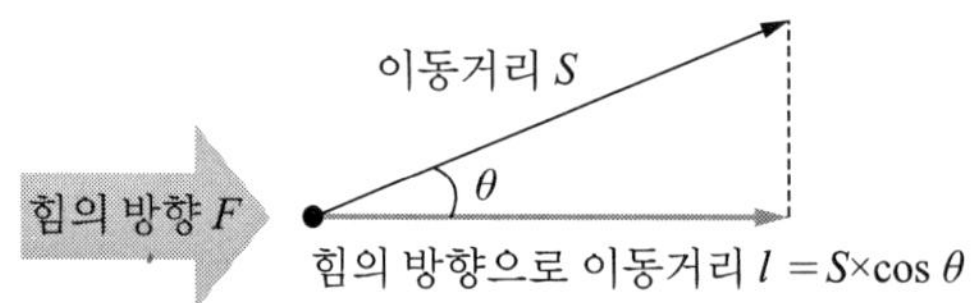

$$W(E) = F\times S\times\cos\theta$$

따라서, 이 때 행해진 일은 $FS\cos\theta$가 된다.

3. 압력

압력은 단위 면적당 작용하는 힘으로 정의되며, 그 차원은 $[ML^{-1}T^{-2}]$이다. 압력은 pressure의 첫 글자 P로 표기한다.

$$P = \frac{F}{A} = \frac{ma}{A} \tag{5.6}$$

여기서, A는 면적이다.

이때 $1\ m^2$의 면적에 1 N의 힘이 가해질 때의 압력을 1 Pa(파스칼)이라 한다.

$$P = \frac{1\ N}{1\ m^2} = \frac{1\ kg\ m/sec^2}{1\ m^2} = 1\ kg/m\ sec^2 = 1\ N/m^2 = 1\ Pa$$

또한 AE 단위계로 제곱인치당 파운드 힘 lb_f을 psi이라 한다.

$$P = \frac{lb_f}{1\ in^2} = \frac{32.174\ lb_m\ ft/sec^2}{in^2} \bigg| \left(\frac{12\ in}{1\ ft}\right)^2 = 386\ lb/in\ sec^2$$
$$= 1\ psi$$

주의해야 할 것은 $1\ psi = 1\ lb_f/in^2$이지만, $1\ Pa \neq 1\ kg_f/m^2$임을 명심해라.

$$1\ Pa = 1\ N/m^2 = 1\ kg/m\ sec^2 \neq kg_f/m^2$$

$$9.8\ kg/m\ sec^2 \neq kg_f/m^2$$

$1\ Pa = 1\ N/m^2 = 1\ kg/m\ sec^2 \neq 1\ kg_f/m^2$
$1\ psi = lb_f/in^2$

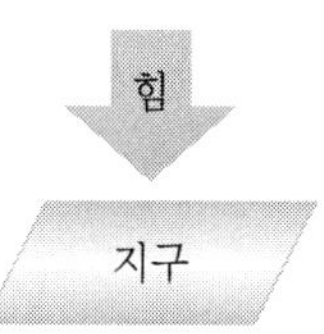

물체에 가해지는 힘이 지구중심방향으로 작용될 때의 압력은 가속도(a) 대신에 중력가속도(g)를 사용한다.

$$P = \frac{F}{A} = \frac{mg}{A} \tag{5.7}$$

(1) 고체가 지구중심방향으로 가하는 압력

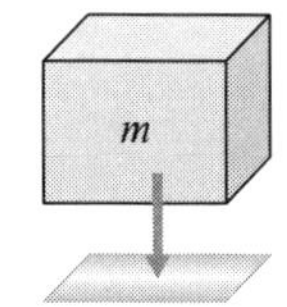

고체가 지구 표면에 가하는 압력은 중력가속도를 이용한다.

$$P = \frac{F}{A} = \frac{mg}{A}$$

질량이 1 kg인 고체가 면적 1 m^2의 지구표면에 가해지는 힘에 해당하는 압력은 다음과 같이 9.8 kg/m sec^2이 된다.

$$P = \frac{F}{A} = \frac{mg}{A} = \frac{1\ \mathrm{kg} \times 9.8\ \mathrm{m/sec^2}}{1\ \mathrm{m^2}} = 9.8\ \mathrm{kg/m\ sec^2} = 9.8\ \mathrm{Pa}$$

예제 5.1 고체

30 kg 구리 덩이가 단면적 0.2 m^2인 지구표면에 가하는 압력은 얼마인가?

Solution

$$F = ma = 30\ \mathrm{kg} \times 9.8\ \mathrm{m/sec^2} = 294\ \mathrm{kg\ m/sec^2}$$

$$P = \frac{F}{A} = \frac{294\ \mathrm{kg\ m/sec^2}}{0.2\ \mathrm{m^2}} = 1470\ \mathrm{kg/m\ sec^2} = 1470\ \mathrm{Pa}$$

(2) 정지된 유체가 지구중심방향으로 가하는 압력

유체라 하면 액체나 기체 상태로 흐르는 성질을 가지는 것이 일반적이지만, 이 장에서는 흐르지 않는 정지된 유체에 대하여 고려한다.

일반적으로 고체의 양은 질량으로 표현하는 반면에, 유체의 양은 부피로 측정하는 것이 편리하다. 이 유체의 부피를 가지고 질량을 만들려면, 유체 부피에 그 밀도를 곱하면 된다.

질량 = 밀도 × 부피 ← 밀도 = 질량/부피

$$m = \rho V$$

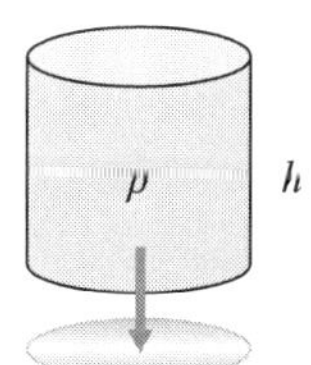

유체의 부피에 유체가 누르는 면적을 나눈 값(V/A)은 유체의 높이(h)가 된다. 이렇게 되면 유체의 질량을 측정하기 위해 유체를 저울에 옮기는 번거로운 과정 대신에 유체 밀도를 알고 그 높이만 측정하면 된다.

$$P = \frac{F}{A} = \frac{mg}{A} = \frac{(\rho V)g}{A} = \rho g \frac{V}{A} = \rho gh$$

따라서 밀도를 알고 있는 유체의 압력은 그 높이를 측정함으로써 편리하게 계산한다.

$$P = \rho gh \qquad (5.8)$$

여기서, g는 중력가속도 9.8 kg m/sec^{2}이다.

예제 5.2 액체

밀도가 100 kg/m^{3}인 NaOH수용액이 탱크에 담겨 있고, 그 수용액의 높이가 2.44 m라면 이 수용액이 탱크 바닥에 가하는 압력은 얼마인가?

Solution

$$P = \rho gh = \frac{100\text{ kg}}{\text{m}^3} \times \frac{9.8\text{ m}}{\text{sec}^2} \times 2.44\text{ m} = \frac{2,391.2\text{ kg}}{\text{m sec}^2} = 2,391\text{ Pa}$$

지구를 누르는 액체의 압력은 밀도를 이용하여 ρgh로 계산하고, 고체는 질량측정이 용이하므로 $\frac{mg}{A}$를 사용하는 것이 편리하다.

식 $P = \rho gh$에 대입하니 간결한데
이 식이 너무 익숙지 않아서 다르게 설명 좀 부탁드려요.

그럼 아래 두 방법으로 연습해보렴.

높이 → 압력	압력 → 높이 계산해보자
물기둥의 높이 = 10 m 물기둥의 면적 = $1\ m^2$ 물기둥의 부피 = $1\ m^2 \times 10\ m = 10\ m^3$ 물기둥의 질량 = $V \times \rho$ $= 10\ m^3 \times 1{,}000\ kg/m^3$ $= 10{,}000\ kg$ 물기둥의 중력(힘) $F = mg$ $= 10{,}000\ kg \times 9.8\ m/sec^2$ $= 98{,}000\ kg\ \ m/sec^2$ 압력 = 힘/면적 = $\dfrac{98{,}000\ kg\ m/sec^2}{1\ m^2}$ $= 98{,}000\ kg/m\ \ sec^2$	$P = F/A$이므로 $F = P \times V$ $= 101{,}325\ \dfrac{kg}{m\ sec^2} \times 1\ m^2$ $= 101{,}325\ kg\ m/sec^2$ $F = mg$이므로, $m = \dfrac{F}{g}$ $= \dfrac{101{,}325\ kg\ m/sec^2}{9.8\ m/sec^2}$ $= 10{,}339\ kg$ $V = \dfrac{m}{\rho} = \dfrac{10{,}339\ kg}{1{,}000\ kg/m^3} = 10.339\ m^3$ $h = \dfrac{V}{A}$ $= \dfrac{10.339\ m^3}{1\ m^2} = 10.339\ m \approx 10\ m$

4. 기체분자가 만드는 힘과 압력

분자는 지구중력방향으로 힘을 받음과 함께 자체의 운동을 한다. 지구상의 고체나 액체는 운동보다 중력의 힘을 지배적으로 받으나($F = mg$), 기체분자는 중력방향으로 받는 힘보다는 자유로운 운동이 지배적이다. 기체분자의 운동에 의한 힘($F = ma$)에 대하여 알아보자.

힘은 질량(M)과 그 질량이 가지는 가속도(a)의 곱이고, 이것을 분자단위에서 생각해보자.

$$F = m \times a$$

일정 공간에 존재하는 분자들은 어떤 속도로 운동하다가 경계에 충돌하는 순간의 속도는 0이 되어 가속도가 생기고, 이 가속도와 분자의 질량에 의해 경계에 힘이 가해진다. 분자가 경계에 부딪히는 순간의 속도는 0이 되므로, 충돌직전의 분자의 운동속도가 클수록, 그 경계에 가해지는 힘은 더 크다.

$$v_A < v_B(|a_A| < |a_B|) \rightarrow |F_A| < |F_B|$$

그리고 분자충돌에 의해 경계가 받는 힘의 합이 전체 계의 힘이 된다.

$$F = F_A + F_B + \cdots\cdots = \sum F_i$$

경계에 가해지는 힘은 분자의 질량, 속도가 크거나, 충돌횟수(충돌빈도)가 많아질수록 커진다. 따라서 힘의 크기는 질량, 속도 및 충돌빈도의 함수이다.

$$F = f\,(질량,\ 속도,\ 충돌빈도)$$

이제 기체의 압력에 대하여 생각해보자.

$$P = F/A$$

기체분자들의 힘의 합이 경계 면적에 가해질 때 압력이 발생한다. 분자가 경계를 두드리는 횟수가 많아질수록 각각의 힘의 크기가 클수록 그 압력이 증가된다.

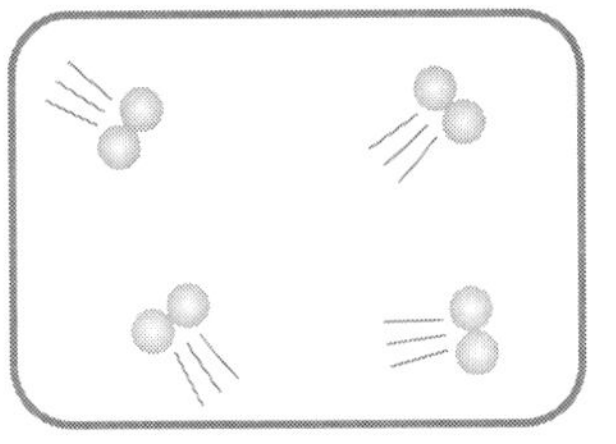

경계에 분자들의 충돌 시

압력 발생 ∝ 충돌힘, 충돌빈도

기체의 온도를 높이게 되면 기체분자의 운동속도가 빨라지고 분자 충돌의 횟수와 힘이 커짐으로 압력이 높아지게 된다. 또한 분자수를 증가시키면 분자들 사이의 평균 거리가 감소되어 분자 충돌의 빈도수 증가로 힘이 커지고 결국 압력이 증가한다. 또 분자수의 변화 없이 기체의 부피를 줄이면 평균 거리 감소로 빈도수가 증가되어 압력이 증가한다.

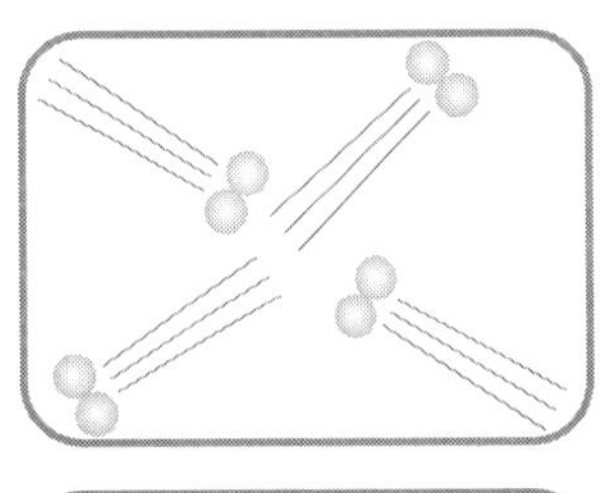

온도가 상승하면 운동속도 증가로

충돌힘과 충돌빈도 증가 → 압력 증가

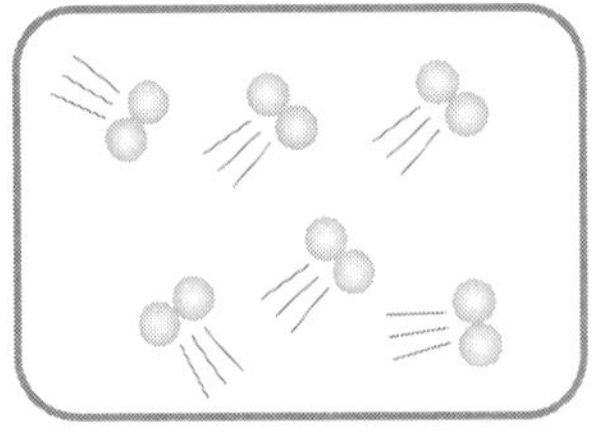

분자수가 증가하면 평균거리 감소로

충돌빈도수 증가 → 압력 증가

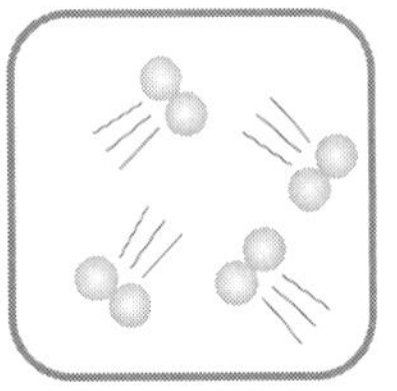

부피가 감소하면 평균거리 감소로

충돌빈도수 증가 → 압력 증가

Lesson 6

대기에 노출된 압력

1. 대기압

유체 중 기체의 예로써 지구표면을 둘러싸고 있는 공기를 살펴보자. 이 공기가 지구표면을 누르는 면적당 힘을 대기압이라 한다. 대기를 둘러싸고 있는 공기는 지구표면 위를 이동하고 성층권으로 높아질수록 희박해져서 공기의 밀도는 감소한다. 지구표면의 대기압의 크기는 위치에 따라 조금씩 차이를 보이지만, 위도 45°의 해수면에서 0℃일 때 수은기압계로 760 mmHg를 가리키는 대기압을 표준대기압이라 한다. (대기압은 절대압력을 의미한다.) 대기압은 다음과 같은 여러 단위로 표현된다.

$$1 \text{ atm} = 760 \text{ mmHg} = 101{,}325 \text{ N/m}^2 = 101{,}325 \text{ Pa} \tag{6.1}$$

기압계(barometer)

우리는 대기압에 항상 노출되어서 있기 때문에 대기압이 어느 정도의 압력인지 인지하지 못하고 살아간다. 대기를 둘러싸고 있는 공기의 밀도는 성층권으로 높아질수록 희박해지지만, 15℃에서 공기 밀도 1.225 kg/m^{3}로 일정하다고 가정하여 다음 식을 이용하여 대기의 높이를 계산하면 8,440 m가 된다.

$$P = \rho g h \tag{6.2}$$

$$101{,}325 \text{ kg/m sec}^2 = 1.225 \text{ kg/m}^3 \times 9.8 \text{ m/sec}^2 \times h$$

$$h = 8{,}440 \text{ m}$$

대기가 높을수록 공기 밀도가 낮아진다는 것을 보정하면 이 높이는 더 큰 값이 예상된다. 이 높이는 10～50 km의 성층권의 높이와 유사한 값이다.

대기압으로 누르는 압력을 우리 머리 위에 누르는 물기둥의 압력으로 가정하고 그 물기둥의 높이를 계산해보자. 물의 밀도는 1,000 kg/m³이므로, 물기둥의 높이는 다음과 같다.

$$P = \rho g h$$

$$101{,}325\ \text{kg/m sec}^2 = 1{,}000\ \text{kg/m}^3 \times 9.8\ \text{m/sec}^2 \times h$$

$$h = 10.3393\ \text{m}$$

따라서 우리는 10 m의 물기둥을 머리에 이고 있는 정도의 압력에서 살고 있다.

우~와!
우리는 엄청난 압력을 받으면서 지구위에서 살아가고 있군요.

2. 대기압에 노출된 정지된 유체가 가하는 압력

다음 탱크 안에 유체가 담겨 있다고 하자. 이 탱크바닥에 가해지는 압력은 얼마인가?

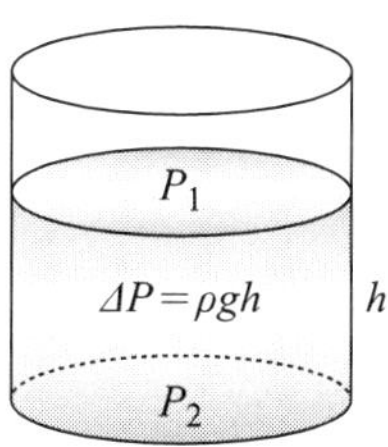

정지된 유체의 표면이 대기압 상태에 노출되었다면 유체 표면의 압력 P_1은 대기압이 되고, 유체바닥에서 받는 압력(P_2)은 대기압(P_1)과 유체에 의해서 가해진 압력(ρgh)의 합이 된다.

$$P_2 = P_1 + \rho gh \tag{6.3}$$

$$P_2 - P_1 = \rho gh$$

다음 학습을 위해 식 (6.3)에 익숙해지자!!!

예제 6.1

Q&A

밀도가 100 kg/m^{3}인 NaOH수용액이 탱크에 담겨 있고, 그 수용액의 높이가 2.44 m라면 탱크 바닥에서 받는 압력은 얼마인가? 수용액의 표면은 대기압에 노출되었다.

$$\rho gh = \frac{100\ \text{kg}}{\text{m}^3} \times \frac{9.8\ \text{m}}{\text{sec}^2} \times 2.44\ \text{m} = \frac{2,391.2\ \text{kg}}{\text{m sec}^2} = 2,391\ \text{Pa}$$

$$P_2 = P_1 + \rho gh = 101,325 + 2,391 = 103,716\ \text{Pa}$$

3. 마노미터의 원리

마노미터(manometer)는 아래 그림과 같이 U자 모양으로 밀도가 비교적 큰 물질로 채워져 있고(이하 수은), U자관의 양쪽은 각기 다른 압력(P_1, P_2)을 가진 유체에 노출되어 있다.

수은주의 높이가 같은 경우

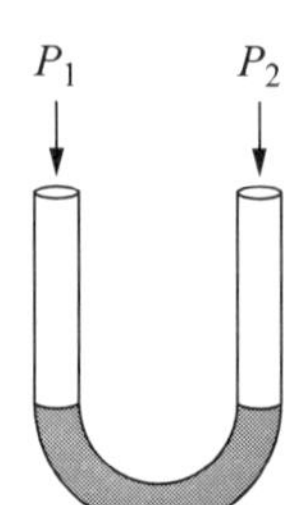

U자관을 채운 수은의 양쪽 표면을 누르는 압력 P_1과 P_2가 같으면 수은 양쪽 높이가 같아진다.

두 압력이 같다.

$$P_1 = P_2$$

수은주의 높이가 다른 경우

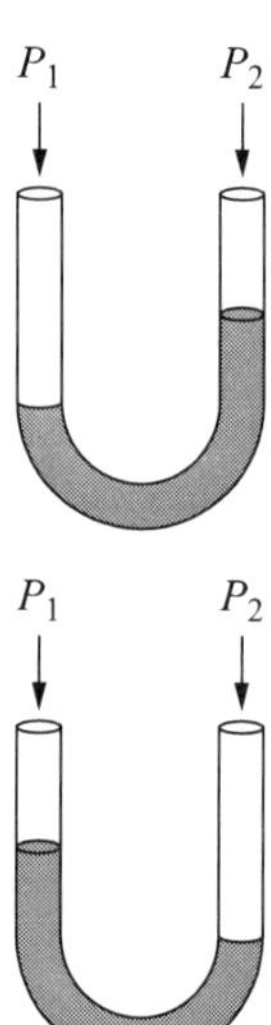

보다 높은 압력을 가진 유체가 보다 낮은 압력을 가진 유체 쪽으로 수은을 밀어낸다. 따라서 약한 압력의 유체 쪽으로 수은 기둥이 높아진다.

오른쪽의 수은주가 높은 경우, 왼쪽의 압력이 크다.

$$P_1 > P_2$$

왼쪽의 수은주가 높은 경우, 오른쪽의 압력이 크다.

$$P_1 < P_2$$

다음은 P_1과 P_2의 압력 차이의 크기에 대하여 이야기해보자. 마노미터 정중앙인 ④지점을 기준으로

④ 왼쪽 단면에 가하는 압력 :

$$P_4 = P_1 + \rho g x$$

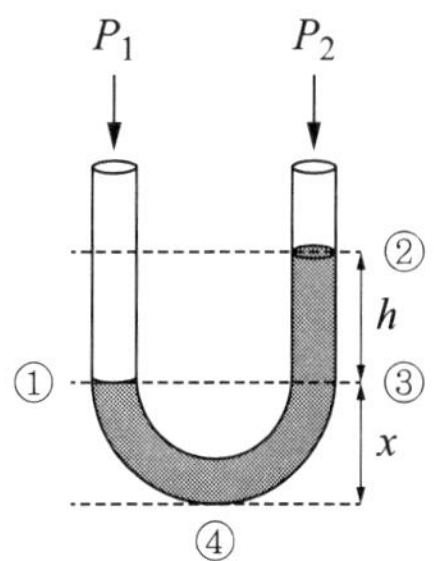

④ 오른쪽 단면에 가하는 압력 :

$$P_4 = P_2 + \rho g h + \rho g x$$

④지점의 양쪽 압력은 같으므로

$$P_1 + \rho g x = P_2 + \rho g h + \rho g x$$

$$P_1 = P_2 + \rho g h$$

따라서, P_1은 P_2보다 $\rho g h$만큼 크다. $\rho g h$는 두 압력의 차이가 된다.

$$P_1 - P_2 = \rho g h$$

4. 압력의 종류

마노미터의 한쪽 끝을 대기에 노출하고, 압력을 측정하고자 하는 가스는 마노미터의 다른 쪽에 연결하여 그 가스의 압력을 측정한다.

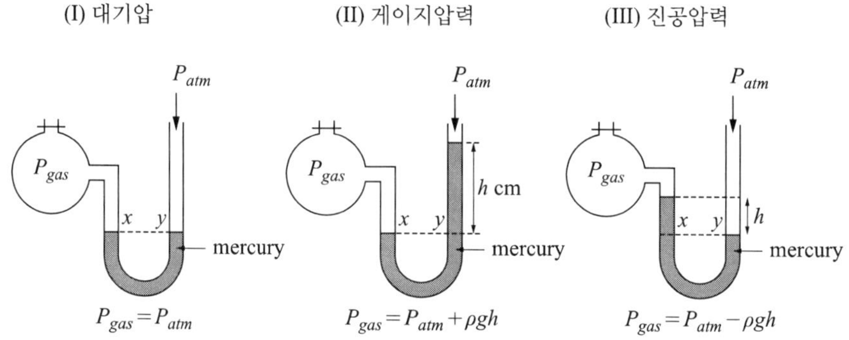

가스의 압력과 대기압의 압력이 같아지면 마노미터의 수은주의 표면 높이가 같아진다(I). 가스의 압력이 대기압보다 더 커지면 기체는 대기압을 밀어올리고, 이 수은주의 높이 차이를 압력으로 환산한 것을 게이지압력이라 한다(II). 반대로, 가스의 압력이 대기압보다 낮으면 마노미터의 수은주는 가스 쪽으로 밀려가고, 이 때 수은주의 높이 차이에 해당하는 압력을 가스의 진공압력이라 한다(III). 우선, 마노미터의 수은주 높이 차이(h)에 해당하는 압력은 다음과 같이 계산된다.

$$P_{gas} - P_{atm} = \rho gh \tag{6.4}$$

$P_{gas} = P_{atm}$이면, ρgh는 0이 된다.

$P_{gas} > P_{atm}$이면, $P_{gas} = P_{atm} + \rho gh$이고, ρgh는 게이지압력이 된다.

$P_{gas} < P_{atm}$이면, $P_{gas} = P_{atm} - \rho gh$이고, ρgh는 진공압력이 된다.

대기압보다 높은 압력과 대기압의 차를 게이지압력이라 하고, 대기압보다 작은 압력과 대기압의 차를 진공압력이라 한다. 압력들의 관계를 다음 그래프에 나타내었다.

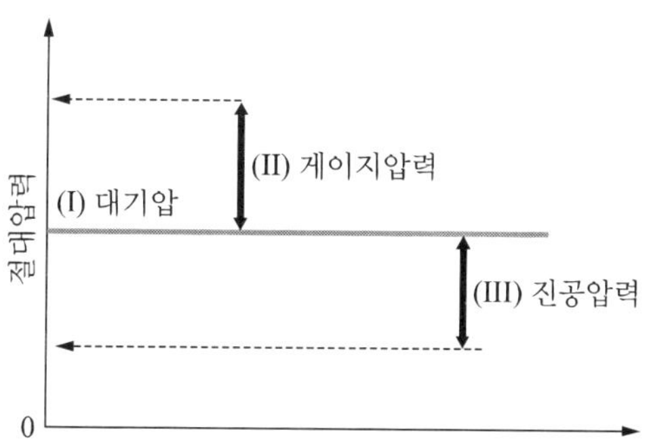

게이지압력

대기압을 기준으로 대기압보다 높은 차이만큼의 압력을 게이지압력이라 하고, 이를 절대압력으로 표현하면 게이지압력에 대기압을 더해야 한다.

게이지압력 + 대기압 = 절대압력

진공압력

대기압을 기준으로 대기압보다 낮은 차이만큼의 압력을 진공압력이라 한다. 진공압력을 절대압력으로 표현하면 대기압에 진공압력을 빼면 된다.

대기압 − 진공압력 = 절대압력

대기압

대기압은 그 자체가 절대압력이다.

대기압 = 절대압력

게이지압력은 대기압보다 높은 압력이고 진공압력은 대기압보다 낮은 압력을 의미하고, 그 각각의 크기는 대기압과의 차이를 의미하군요.

예제 6.2 게이지압력

열린 수은 마노미터를 사용하여 압력탱크 내 기체의 압력을 측정한다. 눈금 차이 (h)가 8 cmHg라면 이 기체의 절대압력은 얼마인가? 대기압은 76 cmHg.

Solution

$$P_1 - P_{atm} = 8\ \text{cmHg}$$

$$P_1 = P_{atm} + 8\ \text{cmHg} = 76\ \text{cmHg} + 8\ \text{cmHg} = 84\ \text{cmHg}$$

예제 6.3 진공압력

열린 수은 마노미터를 사용하여 진공펌프로 나가는 기체의 압력을 측정한다. 눈금 차이가 2 inHg라면 이 기체의 절대압력은 얼마인가? 대기압은 30 inHg.

Solution

진공펌프의 압력은 대기압보다 낮다.

$$P_{atm} - P_1 = 2\ \text{inHg}$$

$$P_1 = P_{atm} - 2\ \text{inHg}$$
$$= 30 - 2 = 28\ \text{inHg}$$

5. 흐르는 유체의 압력 측정하기

다음 마노미터는 정지된 유체가 아닌 흐르는 유체의 압력(P_{flow})을 측정하는 예이며, 한쪽 끝은 역시 대기압에 노출되어 있다.

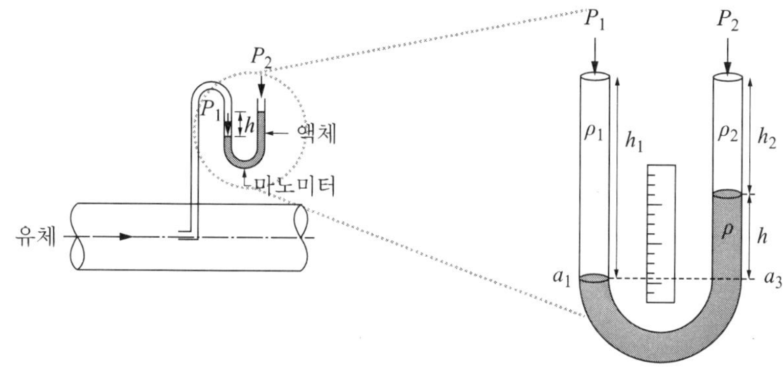

관속을 흐르는 유체를 첨자 1이라 표기하고, 대기를 첨자 2라 표기하고, 마노미터의 수은의 밀도는 첨자 없이 ρ라 한다.

$$a_1\text{에서 압력} = a_3\text{에서 압력}$$

$$P_1 + \rho_1 g h_1 = P_2 + \rho_2 g h_2 + \rho g h$$

$$P_1 = P_2 - \rho_1 g h_1 + \rho_2 g h_2 + \rho g h$$

유체 1과 대기 2의 밀도가 비슷하거나 동일한 경우 $\rho_1 = \rho_2$라 하면

$$P_1 = P_2 - \rho_1 g(h_1 - h_2) + \rho g h$$

$h = h_1 - h_2$이므로

$$P_1 = P_2 - \rho_1 g h + \rho g h$$

$$P_1 = P_2 + (\rho - \rho_1) g h \tag{6.5}$$

마노미터 수은의 밀도가 유체 1/유체 2의 밀도보다 아주 클 경우($\rho \gg \rho_1$), ρ_1을 무시한다.

$$P_1 = P_2 + \rho gh, \qquad P_1 - P_2 = \rho gh \tag{6.6}$$

유체 2가 대기압이므로 마노미터 유체의 높이 차이(h)에 의한 압력 ρgh은 대기압을 기준으로 한 게이지압력 혹은 진공압력이 된다. 식 (6.3), 식 (6.4) 및 식 (6.6)은 모두 동일한 식이다.

6. 유체의 압력강하

앞 절에서는 마노미터의 한쪽 끝이 대기압에 노출된 경우의 예들을 다룬 반면에, 이제는 마노미터의 양끝이 모두 동일 유체에 접촉되어 있고 두 위치에서 이 유체의 압력이 차이가 일어나는 경우를 살펴보자.

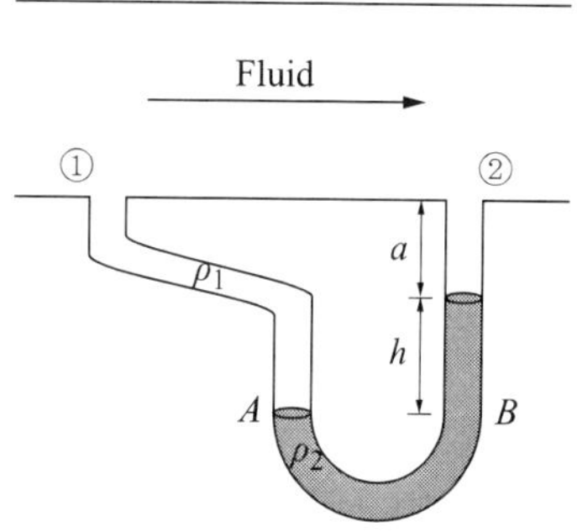

예를 들면 유체가 흘러가는 관의 단면적이 넓어지거나 좁아지는 경우에 ①지점과 ②지점 사이의 유체의 유속이 달라짐에 따라 압력의 변화가 일어난다. 이에 따른 압력의 변화를 '압력강하'가 일어났다고 한다.

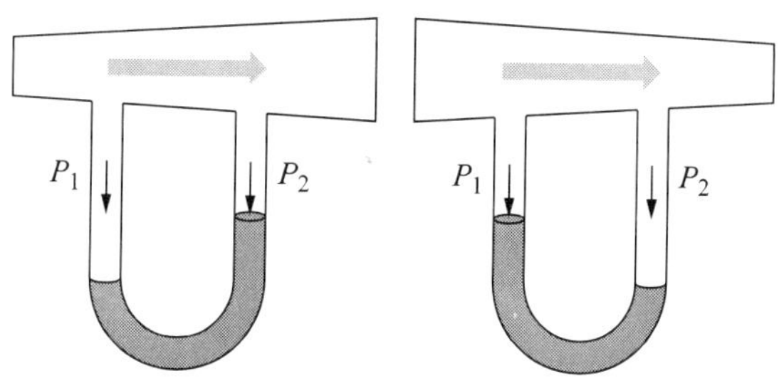

일정 유체가 관속을 흐를 때 관의 단면적이 넓어졌을 경우, 유체의 유속은 느려져서 압력이 낮아지는 반면에, 관의 단면적이 좁아지면 유체의 유속이 점차 빨라져 압력이 커진다.

또한 오리피스가 삽입된 단면적이 일정한 관을 유체가 통과한다고 하자.

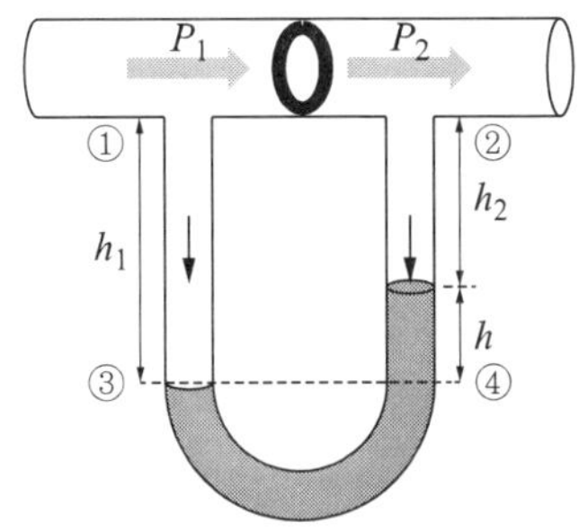

유체가 좁은 오리피스 삽입 지점을 통과할 때 유체 속도는 순간적으로 증가하다가, 오리피스 통과 후 관 넓이에 의해 유속이 점차 감소한다. 오리피스 직전의 압력과 오리피스 통과 후 유체의 속도가 안정화된 지점의 압력의 차이가 존재한다.

$$\Delta P = P_1 - P_2$$

관 내에 ΔP만큼 "압력강하"가 일어났다고 한다.

이제 압력강하의 크기에 대하여 살펴보자.
오리피스 통과 전후의 유체는 동일한 것으로 유체의 밀도를 ρ_f라 하자.

③에서 압력 = ④에서 압력

$$P_1 + \rho_f g h_1 = P_2 + \rho_f g h_2 + \rho g h$$

$$P_1 = P_2 - \rho_f g h_1 + \rho_f g h_2 + \rho g h$$

$$P_1 = P_2 - \rho_f g (h_1 - h_2) + \rho g h$$

$h = h_1 - h_2$이므로

$$P_1 = P_2 - \rho_f g h + \rho g h$$

$$P_1 = P_2 + (\rho - \rho_f) g h$$

$$\Delta P = P_1 - P_2 = (\rho - \rho_f) g h \tag{6.7}$$

유체가 기체인 경우, 기체의 밀도가 수은의 밀도에 비해 아주 작으므로($\rho \gg \rho_f$), ρ_f를 무시한다.

$$\Delta P = P_1 - P_2 = \rho g h \tag{6.8}$$

예제 6.4

물이 흘러가는 도관의 두 지점 사이의 압력강하를 측정한다. 마노미터 액체 밀도는 1.5 g/cm^{3}이고 높이 차이는 8 cm였다면 두 지점 사이의 압력강하를 구하시오.

Solution

물 밀도(1 g/cm^3)는 마노미터 유체 밀도(1.5 g/cm^3)에 비하여 무시할 수 없으므로 식 (6.7)을 사용한다.

$$\Delta P = P_1 - P_2 = (\rho - \rho_f)gh \tag{6.7}$$

$$= (1.5 - 1.0)\ \mathrm{g/cm^3} \times 980\ \mathrm{cm/sec^2} \times 8\ \mathrm{cm}$$

$$= \frac{3920\ \mathrm{g}}{\mathrm{cm\ sec^2}} \times \frac{1\ \mathrm{dyne}}{\mathrm{g\ cm/sec^2}} = 3920\ \frac{\mathrm{dyne}}{\mathrm{cm^2}}$$

식 (6.3), (6.4), (6.6)은 U자 관의 높이차이 h를 측정하여 얻은 $\rho g h$는 두 양끝의 '압력 차이'라는 의미네요.

그렇지, 그래서 한쪽 끝의 압력은 다른 한쪽 끝의 압력으로 보정하면 된다.

Lesson 7

온도와 열에너지

1. 온도

분자가 열에너지를 얻으면 그 분자의 운동에너지가 증가한다. 어떤 물질이 가지는 운동에너지를 직접 측정할 수 없으나, 그 평균 운동에너지의 양이 증감할 때 그 물질은 밀도변화나 상변화와 같은 물리적인 성질의 변화를 일으킨다는 사실을 안다. 그래서 그 역으로 물질의 물리적인 성질의 변화를 측정하여 그 평균 운동에너지의 변화량을 가늠할 수 있다. 그러한 한 척도를 온도라 한다. 즉, 온도는 어떤 물질의 분자가 가지고 있는 평균 운동에너지를 측정하는 것이다.

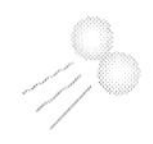

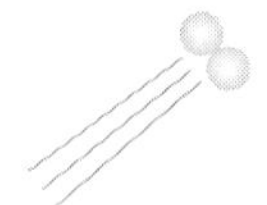

물질의 다양한 성질을 이용하여 온도를 측정하는 기구로 전도체의 저항을 이용한 저항온도계(resistance thermometer), 두 개의 다른 금속선의 접합점에서의 열기전력을 이용한 열전쌍(thermocouple), 방사선의 스펙트럼을 이용한 고온계(pyrometer) 및 일정 질량의 유체의 부피를 이용한 구온도계(bulb thermometer) 등이 있다. 이들의 물리적인 변화는 이들이 접촉한 물질들의 운동에너지 상태를 표현한다.

구온도계

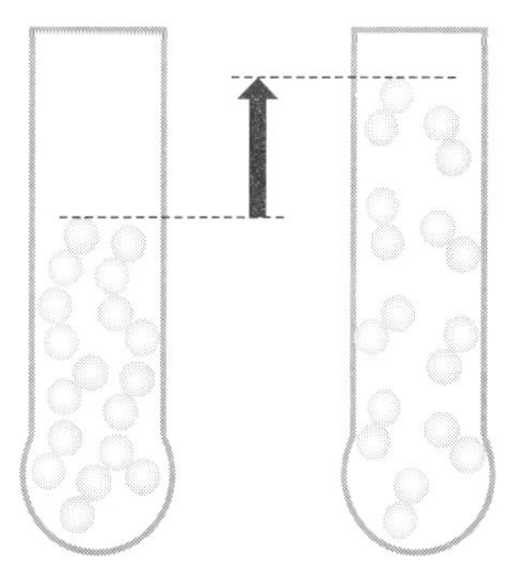

구온도계는 운동속도가 비교적 느린 분자들이 에너지를 얻음으로써 그 분자의 운동속도가 커지고 운동속도가 커지면서 분자간의 간격이 멀어져서 부피가 늘어나는 원리를 이용한 온도측정기구이다. 미세 유리관 속의 유체(알코올, 수은)가 주위로부터 에너지를 얻으면 분자간의 간격이 멀어져서 그 부피가 늘어난다. 이 관 내 유체의 팽창 정도는 이 유체가 유리관을 통해 접촉한 관 밖 물질의 에너지 상태를 알려준다.

참조 **물질의 온도를 나타내는 단위들은 섭씨, 화씨, 켈빈 및 랭킨 등이 있는데 이 단위가 생겨난 역사를 살펴보자.** (화재공학개론 윤용균 역자, Fire Dynamic, Gregory E. Gorbett)

우선, 섭씨라는 명칭은 스웨덴 천문학자 Anders Celsius의 이름을 따서 지어졌는데, 1740년대에 그는 물의 어는점과 끓는점을 기초로 온도를 측정할 수 있는 온도단위계를 고안하였다. 그는 어는점과 끓는점 사이의 온도 눈금을 100등분으로 구분하고, 어는점을 100℃라 하고 끓는점을 0℃라 표시하였으나, 동시대의 다른 과학자들은 그와 반대로 어는점을 0℃라 하고 끓는점을 100℃라 표시하고 두 온도 사이는 여전히 100등분을 유지하였다.

한편 화씨는 네덜란드 물리학자 Daniel Fahrenheit가 1724년에 고안한 온도척도로, 그는 소금, 물 및 얼음의 혼합물을 이용하여 얻을 수 있는 최저의 온도를 찾아냈는데 이를 0°F라 명명하였다. 또한 얼음이 물속에 존재하는 온도인 어는점과 끓는점을 180등분으로 표시하여 어는점을 32°F라 하고 끓는점을 212°F라 하였다.

또한 켈빈온도는 절대영도를 시작점인 0 K라 하고 섭씨온도와 같은 온도증분을 사용한다. 그 결과 어는점인 0℃는 273.15 K가 되고 끓는점은 373.15 K가 된다. 한편 랭킨온도는 절대영도를 시작점인 0°R이라 하고 화씨와 같은 온도증분을 사용한 결과, 0°F는 459.67°R가 되고, 어는점 32°F는 491.67°R가 되고, 끓는점은 671.67°R가 된다.

이제 구온도계를 가지고 온도 단위들을 설명해보자.

섭씨온도는 물이 어는점(temperature of freezing, T_f)일 때 접촉된 관 내 유체(알코올이나 수은)의 부피와 물이 끓는점(temperature of boiling, T_b)에서 접촉된 그 유체의 부피의 차이를 100등분하고, 어는점 T_f을 0℃으로 하고 끓는점을 100℃으로 한 온도이다. 한편, 화씨온도는 물이 어는점 T_f에서의 어떤 유체의 부피와 물이 끓는점에서의 그 유체의 부피의 차이를 180등분하고, 어는점을 32°F으로 하고 끓는점을 32+180=212°F으로 한다.

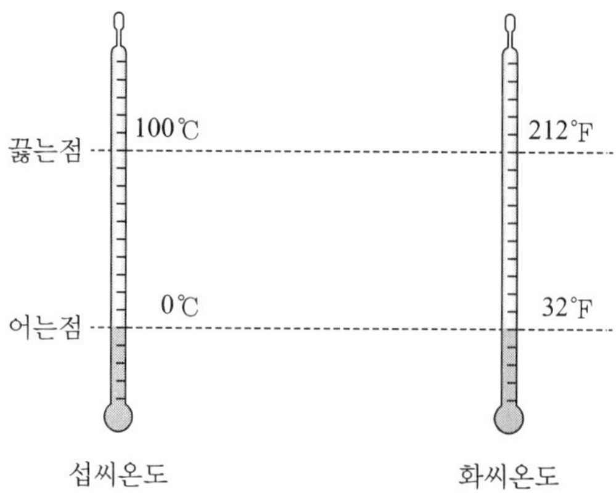

절대온도

절대영도를 0으로 시작하는 두 가지의 절대온도가 있다. 절대영도를 0 K로 시작하는 켈빈온도와 0°R로 시작하는 랭킨온도이다. 켈빈온도의 등분은 섭씨온도의 등분을 사용하고, 랭킨온도의 등분은 화씨온도의 등분을 사용한다.

켈빈온도의 경우 온도변화에 따른 기체의 부피를 관찰하면, 기체의 부피는 온도가 1℃ 증가할 때마다 그 부피의 약 1/273.15만큼 부피가 증가한다. 만약 0℃에서 부피가 V_o인 기체의 온도를 점차 낮춰 가면 1℃ 감소할 때마다 기체 부피는 V_o/273.15만큼 감소하다가 결국 −273.15℃에서 그 기체 부피는 0이 된다. 일반적으로 기체는 온도가 낮아지면 액화가 일어나지만, 이 경우 기체가 액체로 변하지 않고 기체 상태로 유지될 경우 기체의 부피가 0이 되고, 이 온도를 절대영도라 한다. 이 지점은 기체의 분자가 모든 운동을 멈추었을 때를 의미한다. 절대영도를 0으로 시작하는 온도를 절대온도라 한다.

$$V = V_o + \frac{V_o}{273.15} \Delta T(℃)$$

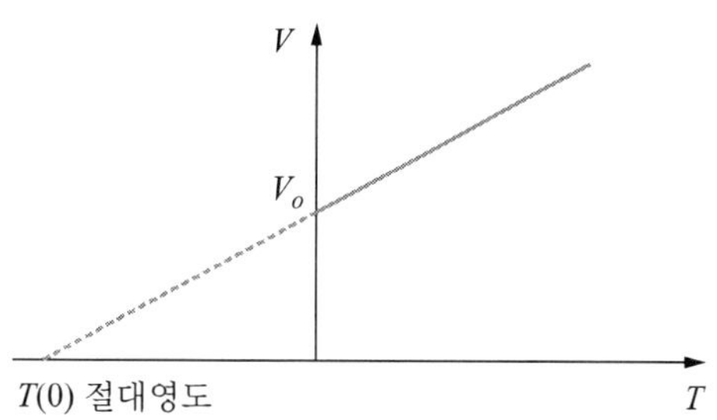

절대영도를 0으로 시작하는 온도를 절대온도라 하고 켈빈온도와 랭킨온도가 있다. 켈빈온도는 절대영도를 0 K로 시작하고 온도등분은 섭씨온도와 같다. 따라서 물의 어는점을 273.15 K가 되고, 물의 끓는점은 273.15 + 100 = 373.15 K가 된다. 이와 유사하게 절대영도를 0°R로 시작하는 랭킨온도는 그 등분이 화씨온도와 같으므로 전자를 491.67°R가 되고 후자는 491.67 + 180 = 671.67°R이 된다.

많은 교재들이 다음과 같은 다양한 온도 환산식들을 종종 소개한다.

$$T(°R) = T(K) \times \frac{180}{100}$$

$$T(K) = T(℃) + 273.15$$

$$T(°R) = T(°F) + 459.67$$

$$T(°F) = T(℃) \times \frac{180}{100} + 32$$

$$T(°F) - 32 = T(℃) \times \frac{180}{100}$$

$$T(℃) = \{T(°F) - 32\} \times \frac{100}{180}$$

온도 환산식들 중 마지막 세 개 식들은 복잡해요. 좀 쉽게 설명해 주셔요.

눈금 하나의 의미와 그 온도증분의 시작점을 이해하자.

순수한 물의 어는점과 끓는점에서 온도계의 액체의 부피 차이를 100등분한 것이 섭씨온도(℃)와 켈빈온도(K)이고, 이 차이를 180등분한 것이 화씨온도(°F)와 랭킨온도(°R)이다. 온도계의 눈금의 크기(온도증분)를 표현할 때 Δ를 사용하여, Δ℃ 또는 Δ°F으로 표현하자. 일반적으로 1℃와 1Δ℃는 다른 의미임을 주의하자. 1℃는 어는점에서 한 개의 온도증분만큼이 더해진 온도이고, 1Δ℃ 온도증분은 온도계의 어느 위치든 눈금 하나의 간격을 의미한다.

$$1\Delta\,℃ = 1\Delta\,\text{K}$$

$$1\Delta\,°\text{F} = 1\Delta\,°\text{R}$$

어는점과 끓는점에서 온도계의 액체 부피변화는 동일하므로, 섭씨 - 켈빈의 100Δ℃는 화씨 - 랭킨의 180Δ°F와 같다. 따라서 1Δ℃는 1Δ°F의 1.8배가 됨을 유의한다.

$$100\Delta\,℃ = 180\Delta\,°\text{F}$$

$$100\Delta\,\text{K} = 180\Delta\,°\text{R}$$

위 식을 환산인자로 변환시키면 100Δ℃/180Δ°F = 1이다. 책마다 환산인자를 약분하여 1Δ℃/1.8Δ°F 또는 5Δ℃/9Δ°F 등으로 표기하지만 일일이 기억할 필요는 없다.

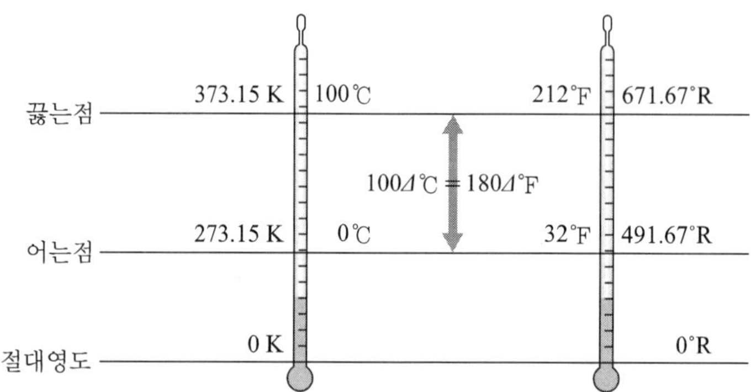

예제 7.1 절대온도 환산

켈빈온도 300 K를 랭킨온도 °R로 환산하라.

절대온도인 켈빈온도와 랭킨온도는 모두 절대영도를 0으로 시작하여 각각 0 K와 0°R라 한다. 환산은 300 K의 위치는 0 K에서 300ΔK에 해당된다. 이를 Δ°R의 개수로 환산하면, 다음과 같다.

$$300\Delta\mathrm{K} \times \frac{180\Delta^\circ\mathrm{R}}{100\Delta\mathrm{K}} = 540\Delta^\circ\mathrm{R}$$

이 결과는 0°R에서 540Δ°R에 해당하므로 랭킨온도 540°R이 된다.

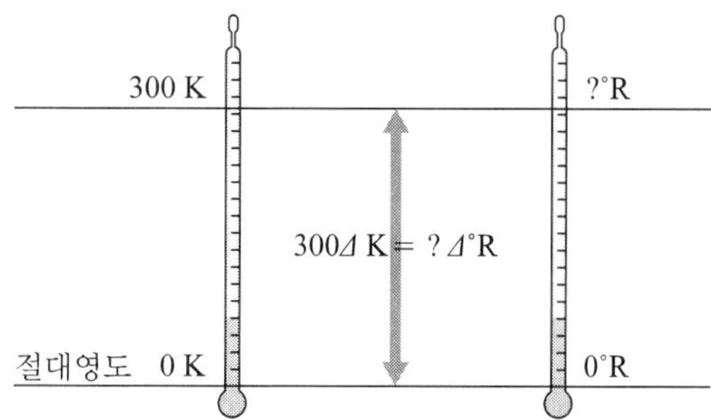

절대온도끼리의 환산은 절대영도 0을 기준으로 하여 켈빈온도(K)와 랭킨온도(°R)는 눈금의 개수만 환산한다.

예제 7.2 섭씨온도와 화씨온도의 환산

Q&A

섭씨온도 25℃를 화씨온도 ℉로 환산하라.

섭씨(℃)와 화씨(℉)의 경우, 어는점을 기준으로 눈금의 개수를 환산하자.

25℃는 어는점을 기준으로 25개의 Δ℃에 해당하고, 이를 어는점을 기준으로 한 화씨의 눈금의 수 Δ°F 변환하면 45개의 Δ°F에 해당된다.

$$25\Delta℃ \times \frac{180\Delta°\text{F}}{100\Delta℃} = 45\Delta°\text{F}$$

섭씨는 어는점이 0℃이므로 25Δ℃는 곧 25℃가 되지만, 화씨는 어는점이 32°F이므로 어는점 위의 45Δ°F의 위치이므로, 어는점 32°F에 45Δ°F 더해서 77°F이 된다.

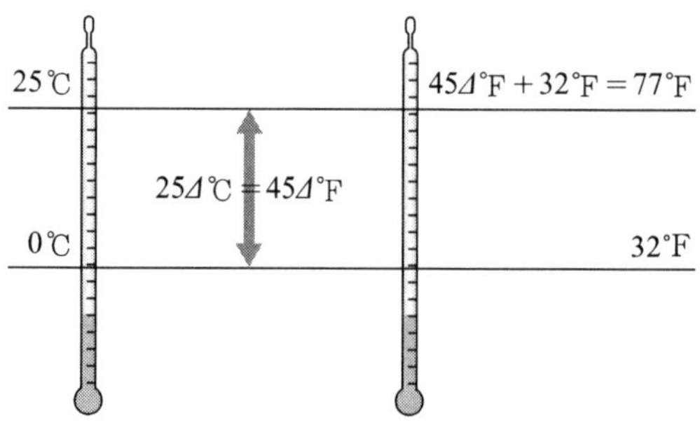

예제 7.2의 결과 다음 식 (7.1)이 완성되었다.

$$T(°\text{F}) = T(℃) \times \frac{180}{100} + 32 \tag{7.1}$$

식 (7.1)의 32를 좌항으로 옮기면 식 (7.2)가 된다.

$$T(°\text{F}) - 32 = T(℃) \times \frac{180}{100} \tag{7.2}$$

좌항에서 'T(°F) − 32'는 어는점(32°F)을 기준으로 한 Δ°F의 눈금 개수이며, 우항은 어는점(0℃)을 기준으로 한 Δ℃의 눈금 개수를 180/100을 곱하여 Δ°F의 눈금 개수로 환산시킨 것으로, 즉 좌항과 우항의 Δ°F의 눈금 개수는 같다(=)는 의미일 뿐이다.

위 식 (7.2)의 양변에 $\frac{100}{180}$를 곱하여 정리한 식 (7.3)이 만들어진다.

$$T(℃) = \{T(°F) - 32\} \times \frac{100}{180} \tag{7.3}$$

좌항의 온도 T(℃)는 곧 Δ℃의 개수며, 우항의 'T(°F) − 32'은 어는점으로부터 Δ°F의 개수이고, 이를 Δ℃의 개수로 변화시킨 것이다. 따라서 좌항과 우항은 등식이 성립된다.

앞으로는 여러 가지 온도 환산식들을 외우지 않고 온도 증분을 이용해서 환산할 수 있군요.

2. 열에너지 단위

▶ **열** : 물질을 구성하는 작은 입자의 운동에 의해 발생하는 에너지

▶ **온도** : 어떤 공간의 분자들의 평균 운동에너지의 척도

에너지 단위인 cal, J 및 BTU에 대하여 알아보자.

에너지 단위는 힘을 기준으로 한 줄(joule)이 있고, 열을 기준으로 한 칼로리(cal)와 BTU가 있다. 전자는 Lesson 5에 이미 줄(J)을 소개하였고, cal는 대기압 하에서 물 1 g을 1℃ 올리는 데 필요한 에너지를 1 cal라 정의한 것이다. 두 결과 1 cal를 J 단위로 환산하면 4.184 J이 된다.

또한 우리에게 익숙지 않은 에너지 단위인 BTU(British Thermal Unit)는 물 1 lb_m을 1°F 올리는데 사용되는 에너지를 1 BTU라 한다. 1 lb_m = 453.593 g이고 1°F = 100/180℃로 정의되니 그 크기를 살펴보자. (화재공학개론 윤용균 역자, Fire Dynamic, Gregory E. Gorbett)

열에너지	물의 양	물의 온도변화
1 cal	1 g	1℃
1 BTU	1 lb(=453.593 g)	1°F(=100/180℃)

그럼 1 BTU는 몇 cal인가요?

예제 7.3 에너지 환산

1 BTU를 cal로 계산하시오.

Solution

(1) 물 1 lb를 1℃ 올리는데 필요한 에너지 계산

물 1 g을 1℃ 올리는데 필요한 에너지를 1 cal이고, 1 lb에 해당하는 453.593 g의 물을 1℃ 올리는데 필요한 에너지를 비례식으로 계산해보자.

$$1\ \text{cal} : 1\ \text{g} = x\ \text{cal} : 453.593\ \text{g}$$이므로

$$x = \frac{1\ \text{cal} \times 453.593\ \text{g}}{1\ \text{g}} = 453.593\ \text{cal}$$

(2) 물 1 lb를 1°F 올리는데 필요한 에너지 계산
위 값은 물 1 lb를 1℃ 올릴 때이고 이제 1°F 즉 100/180℃ 올릴 때 필요한 에너지로 계산하면 다음과 같다.

$$453.593\ \text{cal} : 1℃ = y\ \text{cal} : (100/180)℃$$이므로

$$y = \frac{453.593\ \text{cal} \times (100/180)℃}{1℃} = 251\ \text{cal}$$

따라서 1 BTU는 251 cal에 해당된다.
위 두 단계 계산을 한꺼번에 표현하면 다음과 같다.

$$1\ \text{cal} \times 453.593 \times \frac{100}{180} = 251\ \text{cal} \tag{7.4}$$

단위환산처럼 그럼 다음과 같이 계산해도 되나요?

$$1\ \text{cal} \left| \frac{453.593\ \text{g}}{1\ \text{g}} \right| \frac{100℃}{180°\text{F}} = 251\ \text{cal}$$

식 (7.4)를 단위환산으로 착각해서는 안 된다.

단위환산이란 물리적으로 같은 양을 한 단위에서 다른 단위로 전환하는 것을 의미하는데 반하여, 이 문제는 1 g, 1℃을 기준으로 한 1 cal의 양을 1 lb(=453.593 g)로 확장하고 1°F(=100/180℃)로 축소해 가는 과정을 말하므로, 이 문제는 물리적인 양의 크기를 변경시켜 가는 과정이다. 따라서 비록 위 수직칸의 형식을 사용하더라도 단위환산은 아니다. 다시 말하면, 환산인자인 수직칸 하나의 물리적인 의미의 값은 1이 되었던 것을 상기하면, 위의 $\frac{453.593\ \text{g}}{1\ \text{g}}$ 부분은 물리적인 양이 1이 되지 않고 453.593 배를 곱하는 것이기 때문에 이 수직칸은 환산인자가 아니다. 흔히 우리가 다음과 같은 수직선 칸을 사용하지만 우리가 지금까지 말한 단위환산이 아님을 구별하기 바란다.

3. 열과 물질의 변화

어떤 물질에 열을 가하거나 제거함으로써, 그 물질은 상의 변화(잠열)를 이루거나 온도변화(현열)를 겪는다.

잠열(latent heat)

물질은 온도와 압력에 따라 고체, 액체, 또는 기체 중 한 가지 상태(相, phase)로 존재한다.

물질의 상태와 열의 관계를 관찰해보면, 물질이 열을 얻으면 물질의 상태가 고체에서 액체를 거쳐서 기체 상태로 변하고, 물질이 기체 → 액체 → 고체 상태로 변화할 때는 그 물질은 열에너지를 버린다. 이렇게 물질의 상(phase)이 변하는 것을 상변화(phase change)라고 하고, 상변화시 출입하는 열을 잠열이라 한다.

잠열은 물질의 상변화 시 출입하는 열로, 이 때 물질의 온도는 변하지 않는다.

물질이 고상에서 액상으로 변할 때 필요한 열을 융해열(L_{fus})이라 하고, 액상이 기상으로 변할 때는 기화열(L_{vap})이라 한다. H_2O의 경우, 융해열(L_{fus})과 기화열(L_{vap})은 다음과 같다.

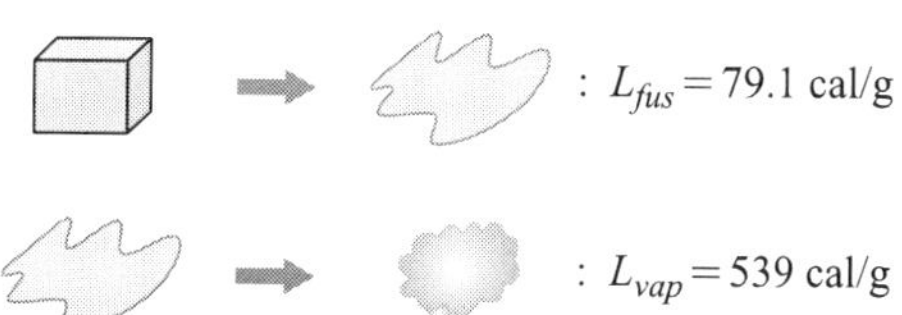

얼음의 융해열이 79.1 cal/g이라는 의미는 얼음 1 g이 물로 완전히 변하는데 79.1 cal가 필요하고, 물의 기화열이 539 cal/g이라는 의미는 물 1 g이 수증기로 완전히 변하는데 539 cal가 필요하다는 의미다.

왜 기화열이 융해열보다 6.75배가 더 크나요?

질량을 가지는 물체들 간에는 인력이 작용하고, 분자들 사이에도 인력이 작용한다. 분자가 고체 상태일 때는 분자들 간은 강한 인력으로 조밀하게 밀집되어 있고, 고체보다 약한 인력을 가진 액체 상태의 분자들은 그 결합이 느슨하다. 반면에 기체분자들은 분자들 간의 거리가 충분히 멀다. 기화열이든 융해열이든 분자 간의 인력을 끊는데 필요한 에너지이다.

고상을 이루는 분자가 액상으로 상변화 할 때는 분자 간의 인력이 조금 느슨할 정도의 에너지만 필요하지만, 액상의 분자가 기상으로 변할 때는 분자들 사이의 인력을 거의 끊을 정도의 에너지가 필요하기 때문이라 생각된단다.

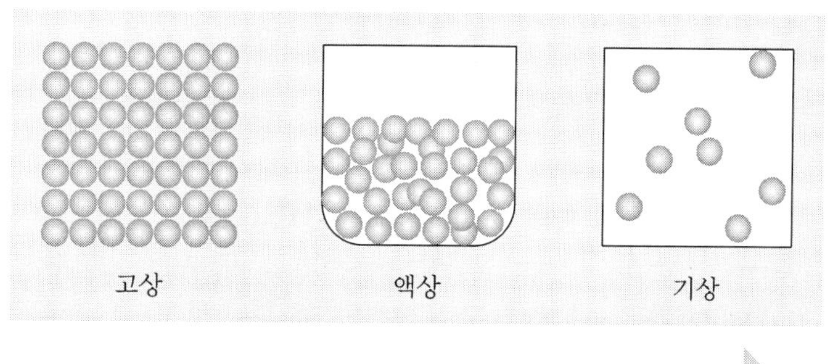

열 흡수

이제 어떤 질량의 물질이 상변화 하는데 필요한 열량이 얼마나 되는지 살펴보자. 물질 m(g)이 상변화 하는데 필요한 열량 Q는 융해열/기화열에 질량을 곱한다.

$$Q = m \times L_{fus/vap}$$

- 45 g의 얼음이 0℃에서 물로 변화하는데 필요한 열량을 구해보면,

$$Q = m \times L_{fus} = 45\text{ g} \times 79.1\text{ cal/g} = 3{,}600\text{ cal}$$

- 100℃ 45 g의 물이 수증기로 변화하는데 필요한 열량을 구해보면,

$$Q = m \times L_{vap} = 45\text{ g} \times 539\text{ cal/g} = 24{,}000\text{ cal}$$

현열은 물질이 상변화 없이 온도변화에 기여하는 열이고, 비열, 열용량, 열량을 구분하자.

현열(sensible heat)

물질이 한 상(phase)에서 온도가 변화할 때 출입하는 열. 즉, 현열은 물질이 상변화 없이 온도변화를 일으키는데 기여하는 열을 말한다.

물질에 열을 가하면 따뜻해지고 더 많은 열을 가하면 뜨거워진다. 현열은 물질의 온도변화에 사용되는 열량이다. 이제 온도와 물질이 가지는 에너지의 관계를 살펴보자.

▶ **비열 또는 비열용량** : 어떤 물질 1 g을 1℃ 올리는 데 필요한 열량으로, C로 표기하고 단위는 cal/g℃ 혹은 J/g℃ 등으로 표기한다. 예를 들면 물의 비열은 1 cal/g℃로 알려져 있다.

$$C = 1\text{ cal/g℃}$$

▶ **열용량** : 어떤 질량 m(g)인 물질을 1℃ 올리는데 필요한 열량으로, $m \times C$로 나타내며 단위는 cal/℃ 또는 J/℃ 등으로 표기된다. 예를 들면 45 g의 물을 1℃ 올리는데 필요한 열용량은 다음과 같다.

$$m \times C = 45\text{ g} \times 1\text{ cal/g℃} = 45\text{ cal/℃}$$

▶ **열량** : 어떤 질량 m(g)인 물질을 ΔT 올리는데 필요한 열량으로, $m \times C \times \Delta T$로 단위는 cal 또는 J 등으로 표기된다. 예를 들면 45 g의 물을 10℃ 올리는데 필요한 열량은 다음과 같다.

$$m \times C \times \Delta T = 45\ \mathrm{g} \times 1\ \mathrm{cal/g℃} \times 10℃ = 450\ \mathrm{cal}$$

물질의 온도변화에 대한 현열의 크기는 다음 같이 나타낸다.

$$Q = m \times C \times \Delta T$$

하지만, 물의 비열 1 cal/g℃에 비해 얼음의 비열은 일반적으로 0.5 cal/g℃이고, 수증기의 비열도 0.5 cal/g℃라고 알려져 있다. 이렇게 동일한 물질의 비열도 일정한 상수값이 아님을 명심하자.

$$Q = 45\ \mathrm{g} \times 0.5\ \mathrm{cal/g℃} \times 10℃ = 225\ \mathrm{cal}$$

얼음을 1℃ 올리는데 필요한 열량과 물을 1℃ 올리는데 필요한 열량이 다르다는 뜻이네요.

H_2O의 상변화에 따른 온도변화의 그래프를 가지고 잠열과 현열에 대하여 이야기하자.

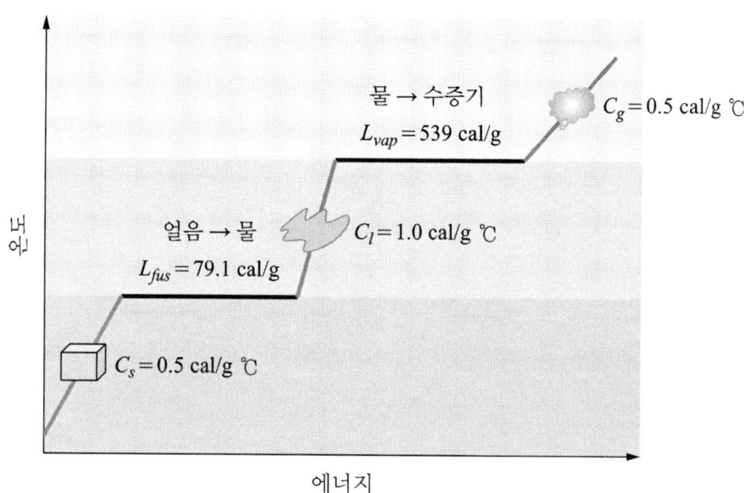

비열의 첨자 g, l, s는 각각 기상, 액상 및 고상을 의미한다.

20℃의 액체인 물 20 g이 140℃의 수증기가 될 때 얼마나 많은 열을 얻을까에 대하여 생각해보자.

예제 7.4

물 20 g이 20℃에서 수증기 140℃가 되는데 필요한 열량을 구하여라.

Solution

다음 세 단계과정에서 열량을 각각 구한다.

$$\begin{bmatrix} \text{온도변화 } Q_1 \\ \text{물 } 20 \sim 100℃ \end{bmatrix} \rightarrow \begin{bmatrix} \text{상변화 } Q_2 \\ 100℃ \text{ 물} \sim \text{수증기} \end{bmatrix} \rightarrow \begin{bmatrix} \text{온도변화 } Q_3 \\ \text{수증기 } 120 \sim 140℃ \end{bmatrix}$$

- 물 20℃에서 100℃까지 온도 상승 시 필요한 열량

$$Q_1 = m \times C_l \times \Delta T = 20\ \text{g} \times 1\ \text{cal/g℃} \times (100-20)℃ = 1{,}600\ \text{cal}$$

- 100℃에서 물이 수증기로 변화하는데 필요한 열량

$$Q_2 = m \times L_{vap} = 20\ \text{g} \times 539\ \text{cal/g} = 10{,}780\ \text{cal}$$

- 수증기 100℃가 140℃로 온도 상승 시 필요한 열량

$$Q_3 = m \times C_g \times \Delta T = 20\ \text{g} \times 0.5\ \text{cal/g℃} \times (140-100)℃ = 400\ \text{cal}$$

따라서 총열량은 다음과 같다.

$$\begin{aligned} Q &= Q_1 + Q_2 + Q_3 \\ &= 1{,}600\ \text{cal} + 10{,}780\ \text{cal} + 400\ \text{cal} = 12{,}780\ \text{cal} \end{aligned}$$

몰기준

화학반응을 동반하는 경우 물질의 양을 질량보다는 몰수로 표현하는 것이 편리하다. 따라서 비열의 단위를 J/gK 대신에 J/gmolK를 사용하고, 융해열과 기화열의 단위도 J/g 대신에 J/gmol를 사용한다.

만약 비열이 질량당 에너지 C(cal/g℃)라 하면, 열량은 질량을 곱하면 되고,

$$Q = mC\Delta T$$

몰당 에너지 C(cal/gmol℃)라 하면, 열량은 몰수를 곱하면 된다.

$$Q = nC\Delta T$$

비슷하게, 융해열/기화열도 질량당 에너지 L_{vap}(cal/g)라면 질량을 곱하여 열량을 계산하고,

$$Q = mL_{vap}$$

몰당 에너지 L_{vap}(cal/g)라면 몰수를 곱하여 열량을 계산한다.

$$Q = nL_{vap}$$

	질량기준	몰기준
비열용량	비열 C의 단위가 cal/g℃이면, $Q = mC\Delta T$	C(cal/gmol℃)이면, $Q = nC\Delta T$
융해열/기화열	L_{vap}(cal/g)라면, $Q = mL_{vap}$	L_{vap}(cal/g)이면, $Q = nL_{vap}$

예제 7.5

물 22 mol이 30℃에서 110℃ 수증기로 변화하는데 필요한 열량을 구하라.
물의 비열 75.312 J/gmolK, 수증기의 비열 37.656 J/gmolK라 하고 기화열 L_{vap} = 40,593.168 J/gmol.

Solution

- 22 mol의 물이 30℃ → 100℃로 온도변화

$$Q_1 = n \times C_l \times \Delta T = 22\ \text{gmol} \times \frac{75.312\ \text{J}}{\text{gmolK}} \times (100-30)\ \text{K} = 115{,}980\ \text{J}$$

- 100℃에서 22 mol의 물 → 수증기로 상변화

$$Q_2 = n \times L_{vap} = 22\ \text{gmol} \times \frac{40{,}593.168\ \text{J}}{\text{gmol}} = 893{,}046\ \text{J}$$

- 22 gmol 수증기 100℃ → 110℃로 온도변화

$$Q_3 = n \times C_g \times \Delta T = 22\ \text{gmol} \times \frac{37.656\ \text{J}}{\text{gmolK}} \times (110-100)\ \text{K} = 8{,}264\ \text{J}$$

총 얻은 열량은 다음과 같다.

$$Q = Q_1 + Q_2 + Q_3$$
$$= 115{,}980\ \text{J} + 893{,}046\ \text{J} + 8{,}264\ \text{J} = 1{,}017{,}290\ \text{J}$$

열량을 구할 때, L_{vap}와 C_g의 단위가 질량이 기준이면 질량을 곱하고, 몰수로 표기되면 몰수로 곱해야겠네요. 따라서 계산할 때 사용하는 값들의 단위를 잘 보고 판단해야겠네요.

참조

온도 단위의 고찰

Lesson 7에서 ℃와 Δ℃(또는 K와 ΔK)를 구분하였다.

물의 비열 1 cal/g℃과 같이 분모에 있는 온도 단위(℃)는 어떤 특정한 온도가 아닌 온도간격(Δ℃)을 의미한다. 즉, '1℃ 증가할 때'라는 표현이므로 1 Δ℃를 의미한다. Δ℃ = ΔK이므로 1 cal/gK로 표현해도 된다. 일반적으로 온도간격(Δ℃ 또는 ΔK)의 의미로 쓰는 ℃는 K로 바꾸어 사용해도 무방하다.

하지만, 이상기체 상태방정식의 $PV = nRT$와 같은 온도는 절대온도 K를 의미하므로, ℃로 바꾸어 사용하면 안 된다.

참조

비열용량과 열용량

물질의 비열, 열용량, 열량을 다음과 같이 정의하였다.

비열용량	: C	(cal/g℃)
열용량	: $m \times C$	(cal/℃)
열량	: $m \times C \times \Delta T$	(cal)

다음 장에서 배울 heat capacity(C_p)는 한국어 번역으로 열용량이지만, 비열용량에 해당한다.

heat capacity C_p (cal/gmolK)

왕왕 비열과 열용량을 혼돈하여 사용한다. 그래서 비열은 단위 질량당 열용량이므로 비열용량이라 표현하는 것이 열용량과의 혼돈을 줄일 수 있다.

Lesson 8

질량유속과 부피유속

1. 유체 속도

물질(유체)이 관을 통하여 한 지점에서 다른 지점으로 연속적인 이동이 이루어진다고 하자. 수송되는 물질의 이동속도를 그 물질의 유속(flow rate)이라 한다. 물질의 이동속도는 질량유속, 부피유속 및 선속도로 표현된다.

다음 그림에서 보는 바와 같이 원통관 속을 흐르는 유체를 생각해보자. 원통관 속의 타원은 유체흐름방향의 수직단면을 나타낸다. 단위 시간당 한 지점의 단면적을 통과하는 질량을 질량유속(mass flow rate, $\dot{m}$)이라 하고, 단위 시간당 통과하는 부피를 부피유속(volumetric flow rate, $\dot{V}$)이라 한다. 또한, 단위 시간당 몰수로 표현하는 몰유속(mole flow rate, $\dot{n}$)도 있다. 일반적으로 액체의 유속은 질량유속을 사용하고, 기체의 유속은 부피유속을 사용하는 것이 편리하다.

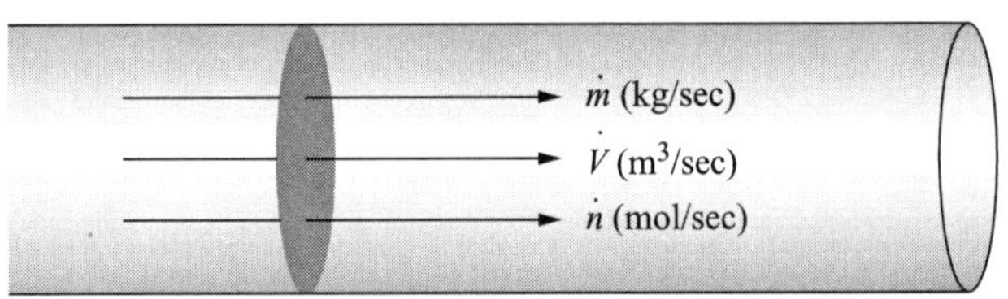

일반적으로 속도의 표기법은 변수 상단에 dot(˙)를 붙인다. 질량을 m이라 표현할 때 질량유속은 $\dot{m}$(kg/sec)라 하고, 부피유속은 $\dot{V}$ (m^3/sec)라 하고, 몰유속은 $\dot{n}$(mol/sec)라 한다.

예제 8.1 부피유속을 질량유속으로 전환하기

밀도 1.24 g/cm^{3}인 어떤 유체가 분당 300 cm^3 부피로 이동한다. 이 유체는 분당 몇 g이 흘러가는가? 일반적으로 부피를 질량으로 전환할 때 밀도를 사용하는 것과 같은 방식으로 계산한다.

$$\dot{V} \times \rho = \dot{m}$$

$$\frac{300\ \text{cm}^3}{1\ \text{min}} \times \frac{1.24\ \text{g}}{1\ \text{cm}^3} = 372\ \text{g/min}$$

따라서 분당 372 g이 통과한다. 즉 질량유속은 372 g/min이 된다.

또한 우리는 종종 접하는 선속도 $\dot{l}$ (m/sec)라는 것에 대해서도 생각해보자. 이 선속도의 단위는 m/sec이다. 마치 야구공이 90 m/sec의 속력으로 날아간다고 할 때 우리는 단위를 m/sec와 같은 단위를 사용한다. 이 속력은 이 야구공의 질량이나 부피의 움직임을 나타내는 양적인 개념이 아니고, 느리다 빠르다라는 세기의 개념이 된다. 따라서 선속도는 세기의 개념이다. 이 세기를 양적인 개념으로 바꾸려면 그 유체가 통과하는 단면적을 곱하면 부피유속이 된다.

예제 8.2

단면적이 12 cm^{2}인 관을 통과하는 밀도가 0.98 g/cm^{3}인 유체의 선속도가 20 cm/sec일 때 이 유체의 부피유속과 질량유속을 구해보자.

Solution

$$\frac{20\ \text{cm}}{1\ \text{sec}} \times 12\ \text{cm}^2 = 240\ \text{cm}^3/\text{sec}$$

여기에 다시 밀도(0.98 g/cm^3)를 곱하면 유체의 질량유속을 구할 수 있다.

$$\frac{240\ \text{cm}^3}{\text{sec}} \times \frac{0.98\ \text{g}}{\text{cm}^3} = 235.2\ \text{g/sec}$$

몰과 분율

물질의 양을 나타내는 몰수를 표기하는 방법을 살펴보자.

참조 **화합물의 양 표기법**

과학의 많은 표기법은 서양에서 시작된 것으로 영어표현을 알면 화학적인 표기법도 쉽게 이해할 수 있다. 예를 들면, '수산화나트륨 20 g'의 영어표기는 '20 g of sodium hydroxide'이고 화학명을 분자식으로 바꾸면 '20 g of NaOH'가 된다. 여기서 of를 생략하면 '20 g NaOH'로 표기된다.

탄소 12그램몰	:	12 gmol of Carbon	→	12 gmol C
NaOH 20 g	:	20 g of NaOH	→	20 g NaOH

따라서, 화합물의 양 표기는 우선 영어로 표현하고 of 등의 전치사를 생략한다. 이 때, 화학명은 분자식으로 표기한다.

1. 몰과 분자량

몰은 분자, 원자, 전자를 비롯한 입자의 일정량을 의미한다.

원소의 원자량(atomic weight)은 탄소동위원소 ^{12}C의 질량을 정확히 12로 정하고 이에 상대적으로 나타낸 원자의 질량이다. 여기에 탄소 12 g에는 6.022×10^{23}개의 입자가 존재한다. 이 수를 아보가드로의 수라 하고, 이 아보가드로수(N)만큼의 분자들의 모임을 1그램몰(1 gmol)이라 정의한다.

탄소 12 g과 탄소 1 gmol은 같은 물질 양이다.

$$12\text{ g C} = 1\text{ gmol C}$$

이 양변을 1 gmol로 나누면 다양한 환산인자를 만들 수 있다.

$$\frac{12\text{ g C}}{1\text{ gmol C}} = 1$$

이것은 화합물 1몰당 질량을 의미하며, 분자량(molecular weight, M_w)이라 한다.

$$\text{분자량} = \frac{\text{질량}}{\text{몰}}$$

아래와 같이 분자량의 변형된 관계식들을 외울 필요는 없고, 예제 9.1과 예제 9.2의 환산인자처럼 사용하면 된다.

$$\text{몰수}(\text{gmol}) = \frac{\text{질량}(\text{g})}{\text{분자량}(\text{g/gmol})}$$

$$\text{질량}(\text{g}) = \text{몰수}(\text{gmol}) \times \text{분자량}(\text{g/gmol})$$

분자량의 단위는 g/gmol, kg/kgmol, lb/lbmol 등이 있다. 다음과 같이 물질들은 고유한 분자량을 가진다.

성분	분자량		
C	12 g/gmol	12 kg/kgmol	12 lb/lbmol
CO_2	44 g/gmol	44 kg/kgmol	44 lb/lbmol
NaOH	40 g/gmol	40 kg/kgmol	40 lb/lbmol

위 분자량에서 12 kg C = 12 kgmol C라 한다. 12 kg C은 12 g C의 1,000배이므로 1 kgmol은 1,000 gmol이 되어서 '아보가드로수(N)×1,000'이 된다. 분자량 중 12 lb C = 12 lbmol C이라 한다. 과연 1 lbmol의 분자수는 아보가드로수의 몇 배가 되는지 확인하자. 간혹 1 lbmol의 분자수가 N이라고 착각하는 경우가 있다.

12 lb = 1 lbmol이므로

$$1\ \text{lbmol C}\left|\frac{12\ \text{lb C}}{1\ \text{lbmol C}}\right|\frac{453.6\ \text{g C}}{1\ \text{lb C}}\left|\frac{1\ \text{gmol C}}{12\ \text{g C}}\right|\frac{6.022\times10^{23}\ \text{C}}{1\ \text{gmol C}}\Bigg|$$

$$= 453.6\times6.022\times10^{23}\ \text{C}$$

가 된다. 즉 1 lbmol은 아보가드로수의 453.6배가 됨을 명심하라.

1 lbmol의 분자수는 아보가드로수의 453.6배가 되군요.

일반적으로 gmol은 g를 생략하여 mol로 표기하지만, 우리에게 익숙지 않은 lbmol은 lb를 생략하지 않고 lbmol로 표기한다. 또한 kgmol은 g을 생략하고 kmol로 표기하거나 kg-mol로 표기한다.

예제 9.1

20 g의 NaOH(M_w = 40 g/gmol)는 몇 몰이 될까? 1.5 mol의 NaOH는 몇 g이 되는가?

Solution

분자량을 환산인자로 사용하여 곱하면 0.5 mol에 해당된다.

$$20\ \text{g NaOH}\left|\frac{1\ \text{gmol NaOH}}{40.0\ \text{g NaOH}}\right| = 0.5\ \text{gmol NaOH}$$

역으로 1.5 mol의 NaOH는 다음과 같이 환산하면 60 g이 된다.

$$1.5\ \text{gmol NaOH}\left|\frac{40.0\ \text{g NaOH}}{1\ \text{gmol NaOH}}\right| = 60\ \text{g NaOH}$$

예제 9.2

NaOH 20 lb는 lbmol과 gmol로 전환하시오.

Solution

$$20\ \text{lb NaOH}\left|\frac{1\ \text{lbmol NaOH}}{40.0\ \text{lb NaOH}}\right| = 0.5\ \text{lbmol NaOH}$$

$$20\ \text{lb NaOH}\left|\frac{454\ \text{g NaOH}}{1\ \text{lb NaOH}}\right|\frac{1\ \text{gmol NaOH}}{40\ \text{g NaOH}}\right| = 227\ \text{gmol NaOH}$$

또한 분자를 구성하는 원자들의 수는 일정성분비에 따라 비례하여 존재한다. 즉 CO_2(M_w = 44.01 g/gmol)분자 1 gmol 속에는 일정성분비에 따라 C : O = 1 : 2로 존재한다. 따라서 C원자 : O원자 = 1 mol : 2 mol로 존재한다. 이것의 의미는 CO_2 1 gmol 내에 1 gmol의 C원자, 2 gmol의 O원자가 존재한다는 것이다.

$$1\ \text{gmol C} = 2\ \text{gmol O}$$

CO_2분자 : C원자 = 1 gmol : 1 gmol, CO_2분자 : O원자 = 1 gmol : 2 gmol

$$1\ \text{gmol } CO_2\left|\frac{1\ \text{gmol C}}{1\ \text{gmol } CO_2}\right| = 1\ \text{gmol C}$$

$$1\ \text{gmol } CO_2\left|\frac{2\ \text{gmol O}}{1\ \text{gmol } CO_2}\right| = 2\ \text{gmol O}$$

$$1\ \text{gmol C}\left|\frac{2\ \text{gmol O}}{1\ \text{gmol C}}\right| = 2\ \text{gmol O}$$

예제 9.3

이산화탄소(CO_2, M_w = 44.01 g/gmol) 100 g을 lbmol수로 표현하고, 100 g에 존재하는 O원자의 몰수를 계산하라.

$$1\ \text{gmol } CO_2 = 44.01\ \text{g } CO_2$$

$1\ \text{gmol}\ CO_2 = 2\ \text{gmol}\ O$

$$100\ \text{g}\ CO_2 \left| \frac{1\ \text{gmol}\ CO_2}{44.01\ \text{g}\ CO_2} \right| \frac{2\ \text{gmol}\ O}{1\ \text{gmol}\ CO_2} \right| = 4.54\ \text{gmol}\ O$$

$1\ \text{lb}\ CO_2 = 454\ \text{g}\ CO_2$

$1\ \text{lbmol}\ CO_2 = 44.01\ \text{lb}\ CO_2$

$$100\ \text{g}\ CO_2 \left| \frac{1\ \text{lb}\ CO_2}{454\ \text{g}\ CO_2} \right| \frac{1\ \text{lbmol}\ CO_2}{44.01\ \text{lb}\ CO_2} \right| = 5.00 \times 10^{-3}\ \text{lbmol}\ CO_2$$

예제 9.4

산소 21%와 질소 79%를 가진 공기의 평균 분자량을 구하여라.

Solution

계산기준 : 공기 1 gmol

$1\ \text{gmol air} = 0.21\ \text{gmol}\ O_2$

$1\ \text{gmol}\ O_2 = 32.0\ \text{g}\ O_2$

$$O_2\text{의 질량} = 1\ \text{gmol air} \left| \frac{0.21\ \text{gmol}\ O_2}{1\ \text{gmol air}} \right| \frac{32.00\ \text{g}\ O_2}{1\ \text{gmol}\ O_2} \right| = 6.72\ \text{g}\ O_2$$

$1\ \text{gmol air} = 0.79\ \text{gmol}\ N_2$

$1\ \text{gmol}\ N_2 = 28.20\ \text{g}\ N_2$

$$N_2\text{의 질량} = 1\ \text{gmol air} \left| \frac{0.79\ \text{gmol}\ N_2}{1\ \text{gmol air}} \right| \frac{28.20\ \text{g}\ N_2}{1\ \text{gmol}\ N_2} \right| = 22.28\ \text{g}\ N_2$$

$6.72\ \text{g}\ O_2 + 22.28\ \text{g}\ N_2 = 29\ \text{g}$

공기 1 gmol 중에 산소와 질소의 질량의 합은 29.0 g이다. 따라서 공기의 평균 분자량은 다음과 같이 29.0 g/gmol이 된다.

2. 몰분율과 질량분율

혼합물이나 용액의 경우 특정성분의 질량이나 몰수를 전체의 질량이나 몰수로 나눈 것을 각각 질량분율 또는 몰분율이라 한다.

$$\text{A성분의 질량분율} = \frac{\text{A성분의 질량}}{\text{전체 질량}}$$

$$\text{A성분의 몰분율} = \frac{\text{A성분의 몰수}}{\text{전체 몰수}}$$

예제 9.5

Q&A

물 10 kg과 NaCl 4 kg으로 이루어진 용액에서 각 성분의 질량분율과 몰분율을 구하시오.

Solution

$$H_2O \text{ 질량분율} = \frac{10\text{ kg } H_2O}{10\text{ kg } H_2O + 4\text{ kg NaCl}} = 0.7143$$

$$\text{NaCl 질량분율} = \frac{4\text{ kg NaCl}}{10\text{ kg } H_2O + 4\text{ kg NaCl}} = 0.2857$$

$$H_2O\text{의 몰수} = \frac{10\text{ g } H_2O}{18\text{ g/gmol } H_2O} = 0.5556\text{ gmol } H_2O$$

$$\text{NaCl의 몰수} = \frac{4\text{ g NaCl}}{58\text{ g/gmol NaCl}} = 0.0689\text{ gmol NaCl}$$

따라서

$$H_2O\text{의 몰비} = \frac{0.5556\text{ gmol } H_2O}{0.5556\text{ gmol } H_2O + 0.0689\text{ gmol NaCl}} = 0.8897$$

$$\text{NaCl의 몰비} = \frac{0.0689\text{ gmol NaCl}}{0.5556\text{ gmol } H_2O + 0.0689\text{ gmol NaCl}} = 0.1103$$

미리 일러두기

공정단위가 운영 중에 유입, 유출 및 생성물의 특성의 변화를 확인하기 위하여 여러 양들을 측정할 수 있어야 한다. 이러한 양들을 공정 변수라 하고 Lesson 4～9에 걸쳐 학습하고 있다. Part 2에서 다룰 물질수지식에 많이 사용하는 변수들은 다음과 같다.

성분 A의 질량 m_A(kg)

성분 A의 몰수 n_A(mol)

성분 A의 유량 q_A(kg/hr, g/min)

성분 A의 질량분율/조성비 x_A, 몰분율/조성비 y_A로 표시한다.

총괄도입유량(F, feed)과 총괄유출유량(P, product)

Part

물질수지식

물질수지는 '질량보존의 법칙'의 한 응용으로, 계의 물질의 양에 대한 일종의 방정식이다. Part 2의 학습내용은 우리가 중학교 1학년에 배운 방정식의 활용문제에 방정식을 세우고 방정식의 성질을 이용하여 그 방정식을 풀어내는 것에서 시작된다.

물질수지가 뭐죠?

'수지'란 영어로 'balance'라는 '균형을 이룬다'는 뜻이고, 수학적 기호로 '='이 사용된다. 두 물체 A와 B에 대하여 'A=B'라 표현하면, 'A와 B는 같다'는 의미가 된다.

수지(balance)를 시소로 표현하면, 다음 그림과 같이 동일한 질량을 가진 물체 A와 물체 B를 시소의 좌우에 각각 올려놓으면 시소는 한 쪽으로 치우치지 않고 '평형을 유지'하게 된다.

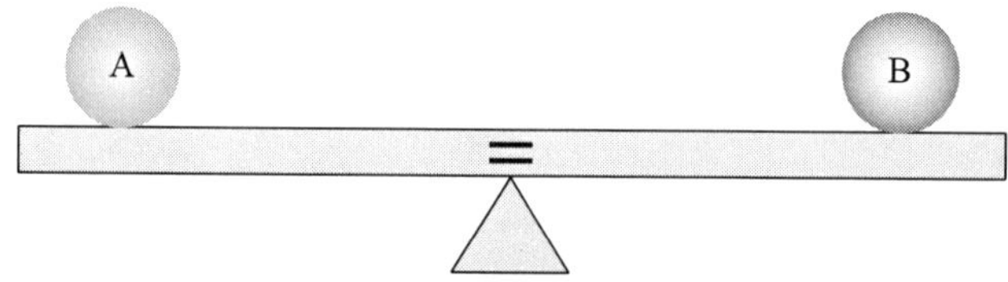

이를 다음 수학식으로 표현하고 이를 '수지식'이라 한다. 이것이 우리가 중학교에서 배운 방정식에 해당된다.

$$A = B$$

여기서, A와 B는 질량(mass), 에너지(energy), 운동량(momentum) 등의 다른 물리량이 될 수 있다.

Part 2에서는 질량(mass)에 대한 물질수지식(mass balance equation)을 소개한다.

1. 계와 주위

물질수지를 소개하기 전에 계(system)와 주위(surrounding)에 대하여 알아보자.

계(system)는 우리가 관심을 가지는 대상 또는 영역을 의미하며, 계로 지정하지 않은 모든 것을 주위(surrounding)라 한다.

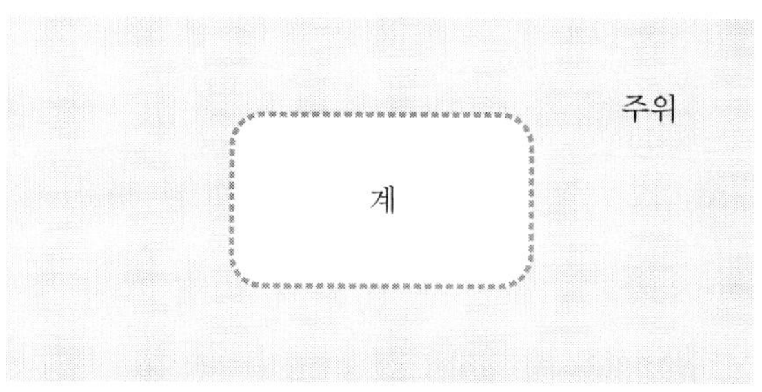

계는 일련의 복잡한 공정 중에 탱크나 반응기 하나를 정할 수도 있고, 공정들 중 일부 공정들을 묶어서 계로 정할 수도 있다.

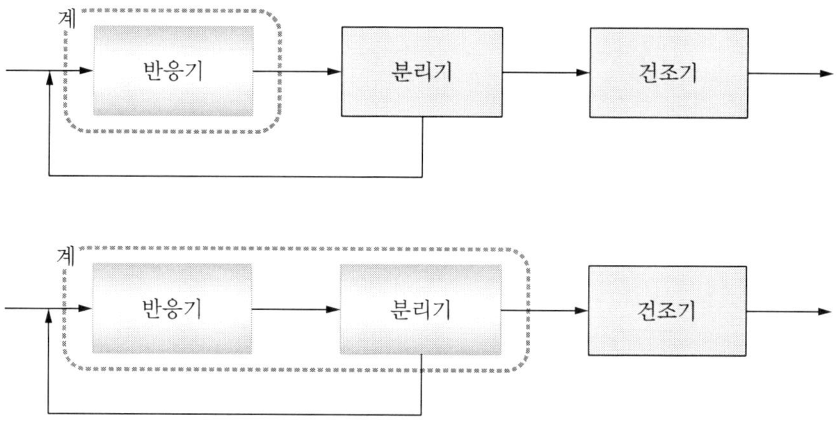

또한, 계와 주위를 구분하는 점선을 계의 경계(boundary)라 하고, 계와 주위 사이의 이 경계를 통하여 물질이나 에너지의 출입이 일어난다.

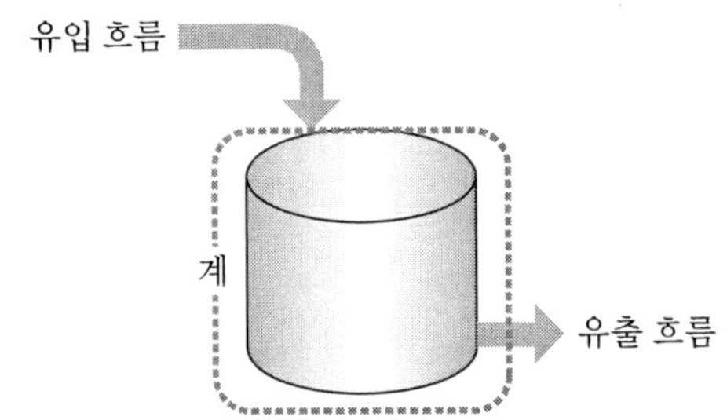

2. 공정의 분류

화학공정의 특징에 따라 분류해 보자.

공정(process)이란 한 물질 혹은 여러 물질의 혼합물에 물리 또는 화학적 변화를 일어나게 하는 하나 또는 일련의 조작(operation)을 의미하며, 공정단위(process unit)란 공정을 구성하고 있는 조작이 이루어지는 장치(apparatus)를 의미한다. 공정으로 들어가는 물질을 유입물(input) 또는 급송물(feed)이라 하고 공정을 떠나는 물질을 유출물(output) 또는 생성물(product)이라고 한다.

화학공정은 물질이 공급되는 방식에 따라 회분식(batch), 연속식(continuous), 반회분식(semibatch)으로 나눈다.

회분식 공정(batch process)

회분식 공정은 작업 전에 원료를 투입하고 나서 반응이 진행되고, 작업이 종료되면 생성물을 한꺼번에 꺼내는 공정으로, 반응이 진행되는 동안, 계를 통하는 물질의 유입과 유출이 없다. 반응기로 들어가는 물질을 유입물(input), 반응기를 떠나는 물질을 유출물(output)이라고 한다.

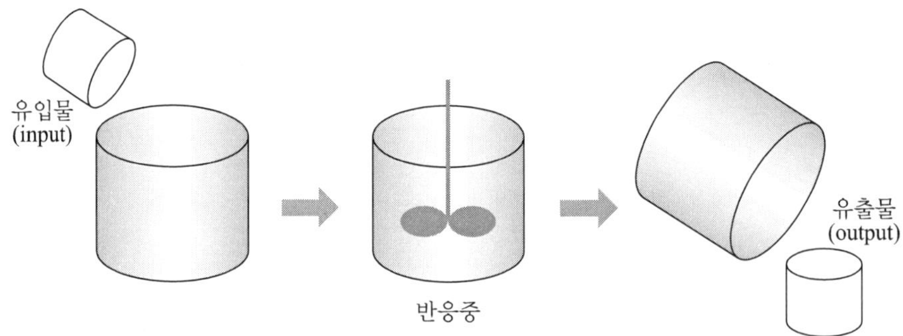

연속식 공정(continuous process)

작업이 진행되는 동안, 계로 물질의 유입과 유출이 연속적으로 이루어지는 공정을 연속식 공정이라 하며, 공정에 연속적으로 유입되는 물질을 급송물(feed)이라 하고 공정을 떠나는 물질을 생성물(product)이라고 한다.

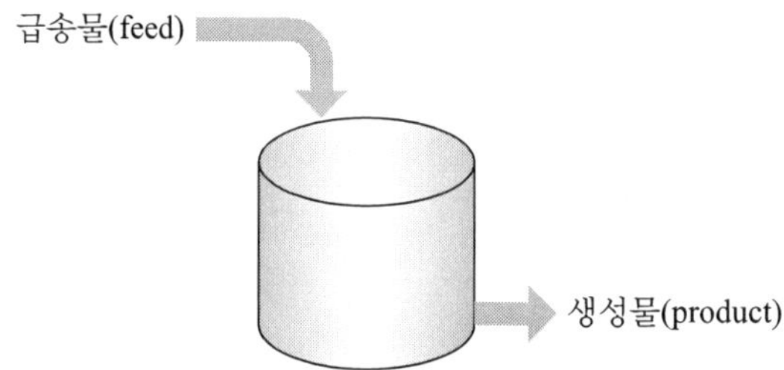

반회분식 공정(semibatch process)

반회분식 공정은 회분식과 연속식이 함께 존재하는 공정으로, 연속적으로 반응물을 유입시킨 후 생성물을 한꺼번에 꺼내거나, 순간적으로 반응물을 투입시키고 생성물을 연속적으로 유출시키는 공정을 말한다.

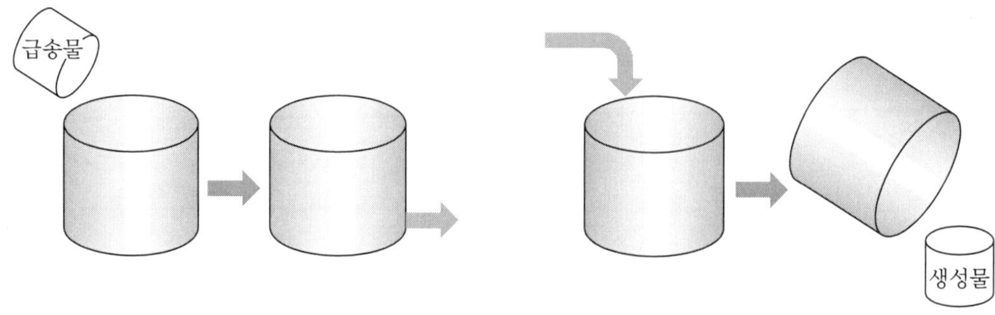

3. 공정도

공정(process)의 흐름을 표현한 것을 공정도라 한다. 복잡한 공정도 대신, 우리는 공정도를 간단하게 나타낼 수 있다. 반응기나 탱크와 같은 단위장치들은 네모박스로 표현하고, 물질의 흐름은 화살표로 나타낸다. 네모박스는 회분식이든 연속식이든 반회분식이든 구분하지 않고 사용되고, 유입물이나 급속물은 F(feed)로 표현하고, 유출물과 생성물은 P(product)로 통일하여 나타낼 수 있다.

때로는, 네모박스 안에 반응기 내의 온도나 압력 및 반응기 부피 등을 구체적으로 표시할 수 있고, 유입유출 흐름의 정보 즉, 유입속도나 유입되는 물질의 종류 및 농도를 화살표 위아래에 표기할 수 있다.

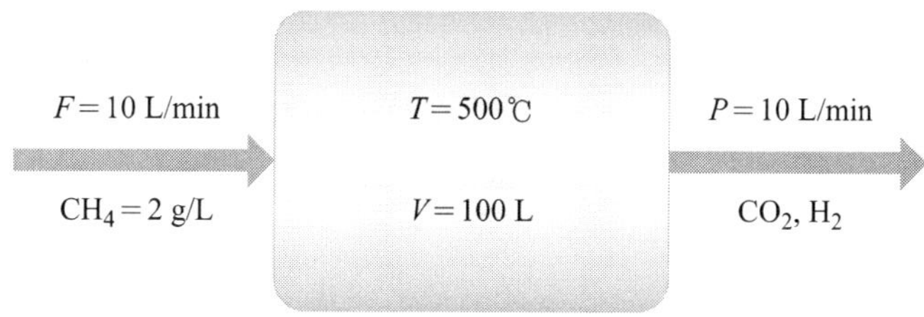

Lesson 10

기본 물질수지 개념

1. 수지

(1) 인구에 관한 수지(balance)

어느 마을의 인구수 변화를 가지고 수지의 개념을 이해해 보자.

Box 1

작년 초 1월 1일에 우리 마을의 인구를 조사하였더니 5,000명이 있었다. 새로운 제철회사가 가동되면서 4월에 20,000명의 인구 유입이 있었고, 그 해 가을에 자동차회사의 구조조정으로 5,000명이 우리 마을을 떠났고, 곧이어 자동차 부품 납품업체의 도산으로 10,000명이 마을을 떠나서 작년 말 12월 31일에 인구는 10,000명이 되었다.

인구수지를 세우기 위해 관찰대상, 관찰공간 및 관찰시간을 우선 정한다. 위 인구변화의 스토리에서 관찰대상은 인구수이고, 관찰공간(계)은 우리 마을이며, 관찰시간은 작년 한 해 동안이다. 위 인구변화를 가지고 다음 두 가지 방법으로 인구수지를 세워 본다.

A. 실선내용으로 식 세우기

첫 번째 방식은 Box 1 내 실선내용을 사용한다.

■ 작년 초 1월 1일에 우리 마을의 인구를 조사하였더니 5,000명이 있었다. 작년 말 12월 31일에 인구는 10,000명이 되었다.

우리 마을 내에 관찰시간 중 관찰시간 초기(1월 1일)의 인구수와 관찰시간 말기(12월 31일)의 인구수에 관한 정보를 가진다. 즉, 작년 1월 1일에 우리 마을 내에 존재하는 인구 5,000명과 작년 말에 인구 10,000명을 가지고 인구수지식을 세워 보면, 작년 말 12월 31일 조사된 인구수와 1월 1일과 12월 31일 사이에 증가된 순유입 인구수는 5,000명임을 알 수 있다.

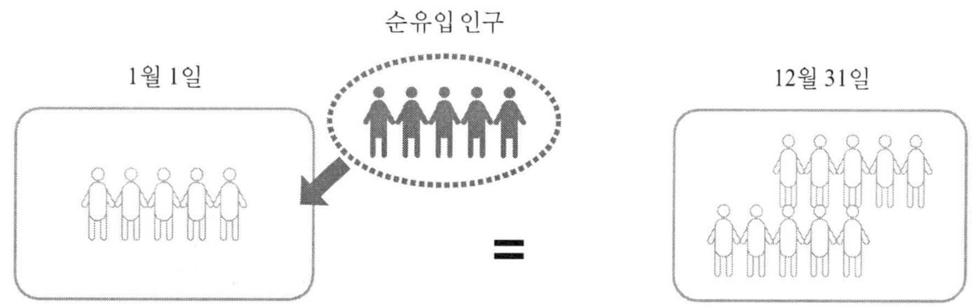

즉, 다음 시소그림처럼 1월 1일에 조사된 인구수(5,000명)에 순유입된 인구수(5,000명)를 합하면 그 해 말 12월 31일의 인구수(10,000명)와 같아짐을 표현할 수 있다. 이것을 식 (10.1)과 같이 식으로 표현한 것을 물질수지식이라 한다.

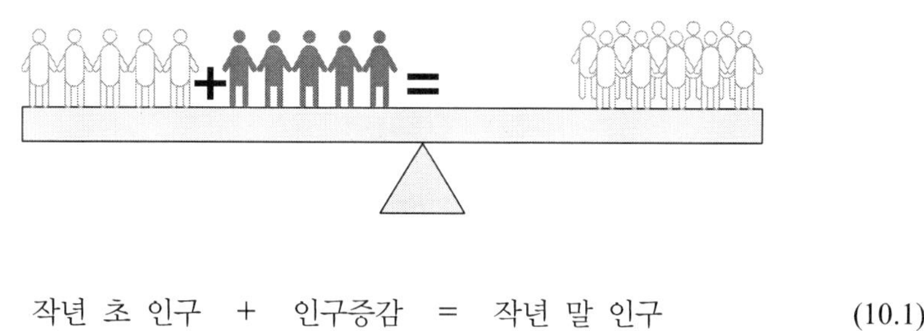

$$\text{작년 초 인구} + \text{인구증감} = \text{작년 말 인구} \tag{10.1}$$

B. 점선내용으로 식 세우기

두 번째 방식은 Box 1 내 점선내용을 이용한다.

- 새로운 제철회사가 가동되면서 4월에 20,000명의 인구 유입이 있었고, 그 해 가을에 자동차회사의 구조조정으로 5,000명이 우리 마을을 떠났고, 곧이어 자동차 부품 납품업체의 도산으로 10,000명이 마을을 떠났다.

이것은 작년 한 해 동안에 마을로 유입되고 유출되는 정보를 제공한다. 즉, 유입 인구수가 20,000명이고, 유출되는 인구수가 5,000명과 10,000명으로 총 15,000명이 된다. 이 정보를 다음과 같이 도시해 본다.

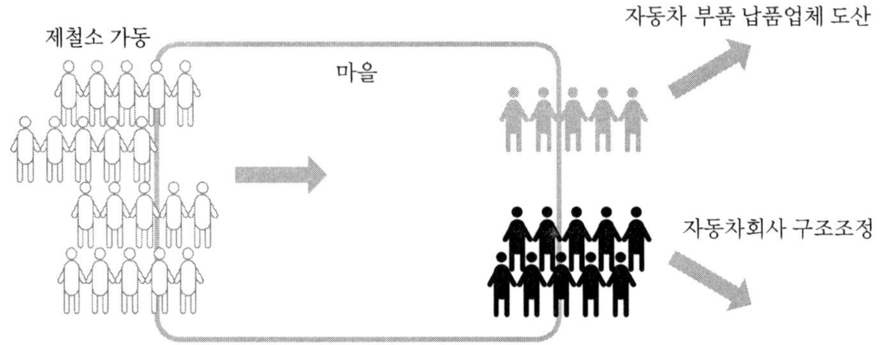

작년 한 해 동안에 마을로 유입된 총 인구수와 유출된 총 인구수의 차이가 한 해 동안에 증감된 인구수가 된다. 즉 한 해 동안 유입된 인구수에서 유출된 인구수를 뺀 것은 한 해 동안의 증감된 인구수와 같아지고, 이것을 식 (10.2)로 표현한 것을 인구수지식이라 한다.

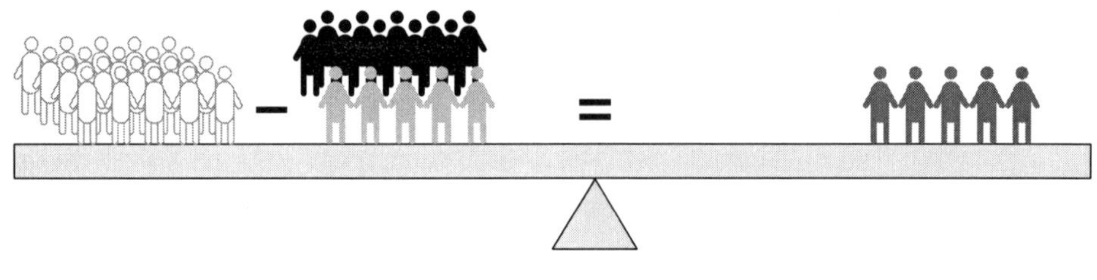

$$\text{유입인구} - \text{유출인구} = \text{인구증감} \tag{10.2}$$

Box 1 내용을 시간에 따른 인구수의 변화로 도식적으로 표현해보자.

초기 5,000명의 인구가 20,000명이 늘었다가 5,000명이 줄고 다시 10,000명이 주는 과정을 시간에 따라 표현하였다.

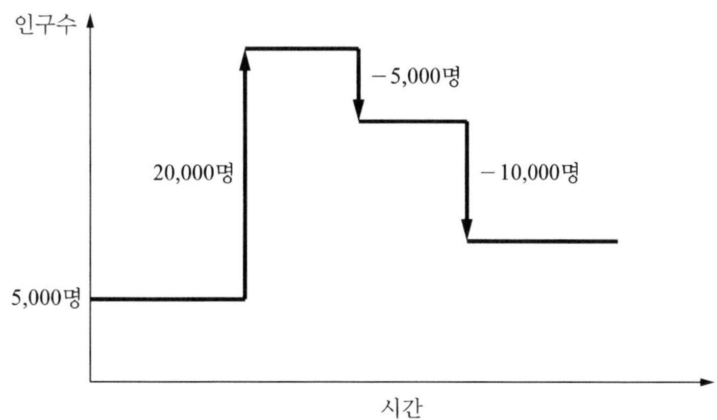

A. 실선내용으로 식 세우기

다음 그래프는 초기 인구수와 말기 인구수에 초점을 맞추었다.

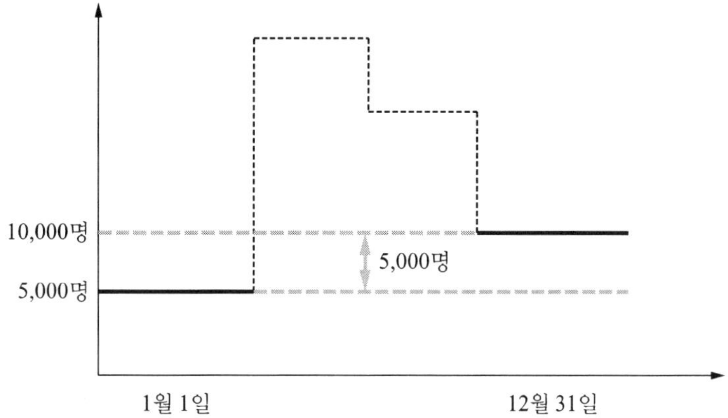

즉, 중간의 유입되고 유출되는 과정의 정보는 필요하지 않고, 작년 초 인구수와 작년 말 인구수를 조사하여 수지식을 만들었다.

작년 초 인구수 + 인구증감수 = 작년 말 인구수 (10.3)

인구증감수 = 작년 말 인구수 − 작년 초 인구수 (10.4)

B. 점선내용으로 식 세우기

초기 인구와 말기 인구수의 정보 없이, 한 해 동안 유입된 총 인구수와 유출된 총 인구수를 조사하여 수지식을 만든다.

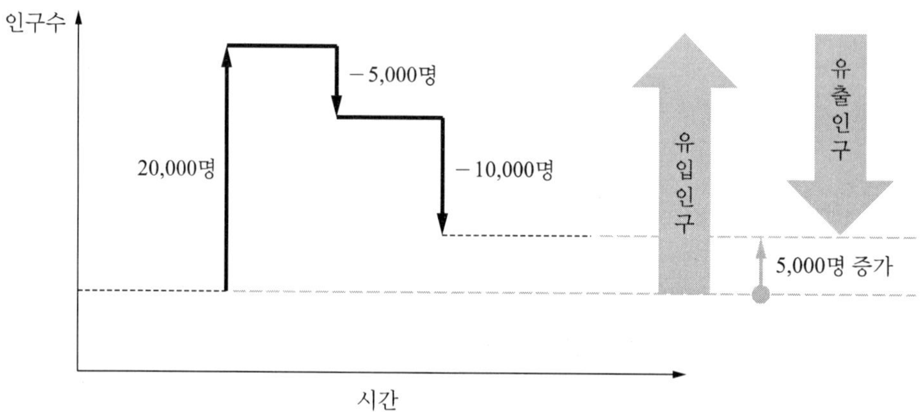

총 유입인구수 = 총 유출인구수 + 인구증감수 (10.5)

인구증감수 = 총 유입인구수 − 총 유출인구수 (10.6)

(2) 사과주스 물질수지

한 마을의 인구수로 학습한 수지(balance)의 개념을 물질의 양으로 확장하자. 다음은 사과주스의 양을 물질의 양으로 한 물질수지식의 예이다.

Box 2

사과주스 공장에서 사과주스를 저장하는 탱크가 있다. 이 탱크는 공정 중에 생산되는 사과주스가 지속적으로 유입되고 일부는 제품으로 포장되기 위하여 유출된다. 따라서, 탱크에 저장된 사과주스의 양은 시시각각 변한다.
오전 9시에 공장의 관리인이 출근하여 사과주스의 양을 확인해보니 5,000 L가 저장되었고 오후 6시 퇴근할 때 그 양이 8,000 L인 것을 확인할 수 있었다. 또한 근무시간 9시간 동안 탱크로 유입 또는 유출되는 사과주스양은 공급 또는 유출되는 파이프라인에 부착된 게이지를 통하여 모두 측정할 수 있다.

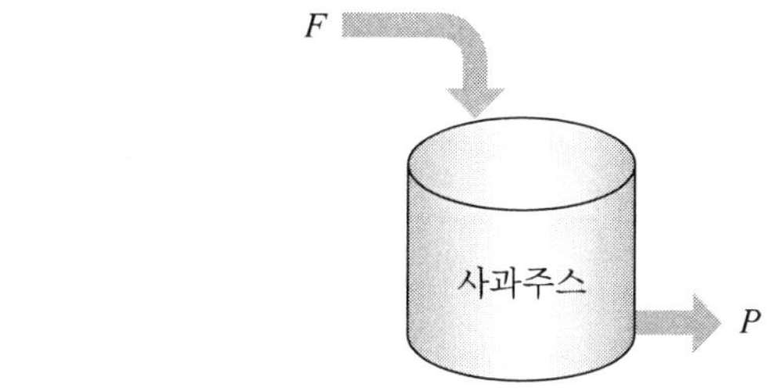

A. 탱크 내 관찰시간 초기 사과주스양과 시간 말기의 사과주스양을 이용한 물질수지

탱크 내 사과주스의 초기량과 최종량을 확인한다.

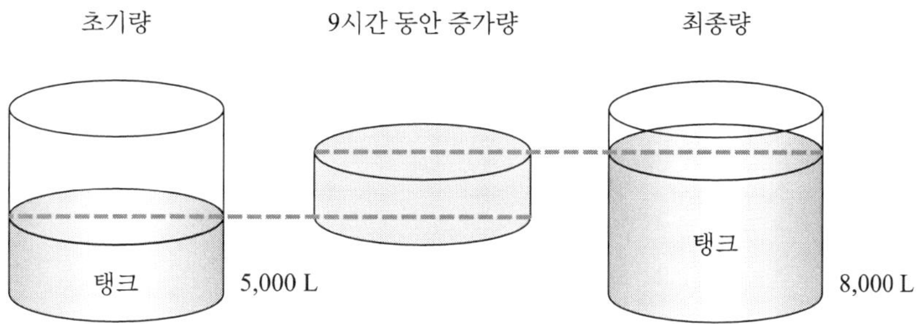

이 사과주스의 양을 시소(balance) 상에 올려놓고 평형을 유지하려면, 초기 사과주스양과 근무시간 동안 순증가된 사과주스양의 합이 최종 사과주스양이 된다.

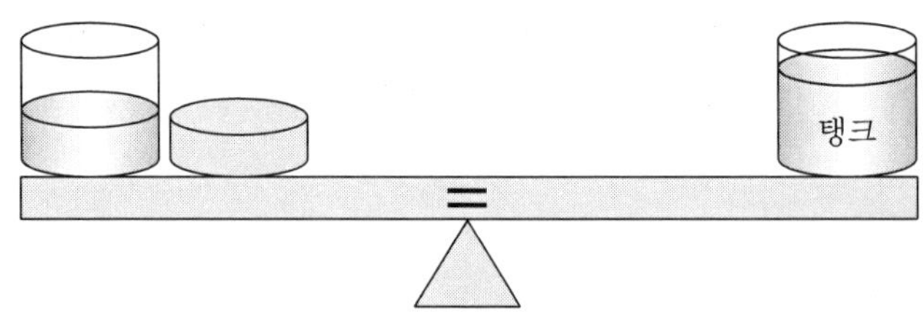

즉, 최초 물질의 양 + 물질의 증감량 = 최종 물질의 양 (10.7)

물질의 증감량 = 최종 물질의 양 − 최초 물질의 양 (10.8)

B. 관찰시간 동안에 계로 유입된 총 물질량과 유출된 총 물질량을 이용

물질이 연속적으로 유입과 유출되는 공정에서 9시간 동안에 탱크로 들어오는 물질의 총량과 나가는 물질의 총량의 차가 그 관찰시간 동안 탱크 내에 증감된 양이 된다. 즉, 9시간 동안 총 유입량과 총 유출량의 차가 물질의 증감량이 된다.

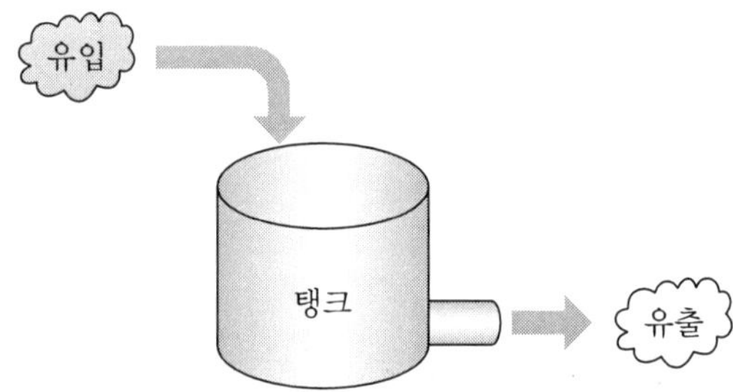

이것을 시소로 표현하면, 9시간 동안 유입된 양과 유출된 양의 차이가 사과주스의 증감량이 된다.

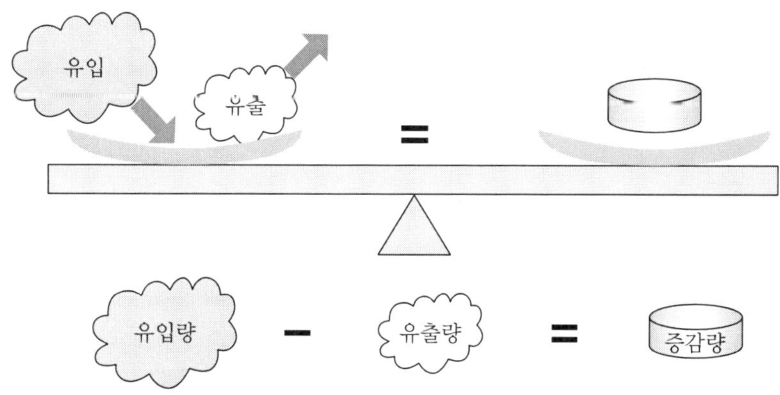

$$\text{유입된 물질량} - \text{유출된 물질량} = \text{물질의 증감량} \qquad (10.9)$$

총괄적으로, 식 (10.7)은 관찰시간 초기(오전 9시) 순간에 탱크 내에 존재하는 물질량(5,000 L)을 측정하고, 관찰시간 말기(오후 6시) 순간에 탱크 내에 존재하는 물질량(8,000 L)을 측정하여 총 9시간 동안에 탱크 내 물질의 변화량(3,000 L)을 표현한 것이다. 반면에, 식 (10.9)는 총 9시간 동안 탱크로 들어간 양과 탱크를 빠져나가는 양을 측정하여 총 9시간 동안 탱크 내부의 물질의 변화량을 결정하는 것이다.

탱크 내 일정시간 동안 증가할 수도 감소할 수도 있는 이 물질의 증감량을 '축적량'이라 표현한다. 그러면 축적량은 물질이 증가하면 양수가 되고, 감소하였다면 음수로 표현된다.

$$\text{물질의 축적량} = \text{최종 물질의 양} - \text{최초물질의 양} \qquad (10.8)$$

$$\text{물질의 축적량} = \text{유입된 총 물질량} - \text{유출된 총 물질량} \qquad (10.9)$$

식 (10.8)과 식 (10.9)를 합하면 다음 식 (10.10)이 만들어진다.

$$\begin{aligned}\text{물질의 축적량} &= \text{최종 물질의 양} - \text{최초 물질의 양} \\ &= \text{유입된 총 물질량} - \text{유출된 총 물질량} \qquad (10.10)\end{aligned}$$

> 식 (10.8)은 관찰시간 초기와 말기의 탱크 내 존재하는 양을 측정하여 결정하고, 식 (10.9)는 관찰시간 동안 탱크로 들어온 물질의 총량과 탱크에서 나간 물질의 총량을 측정하여 물질의 증감량을 정의하는군요.

2. 물질수지식

이제 물질수지식을 문자를 사용하여 간단하게 표현하자. 우선 공정을 표현하는데, 물질의 양과 시간이 있다. 시간은 다시 초기 시간과 최종 시간으로 구분된다. 물질의 양도 초기 물질의 양과 최종 물질의 양으로 구분된다. 이러한 4개의 물리량을 문자 A, B, C, D 등 4개의 문자로 표현하면 복잡해진다. 이러한 문자와 첨자에 대하여 먼저 이해하자.

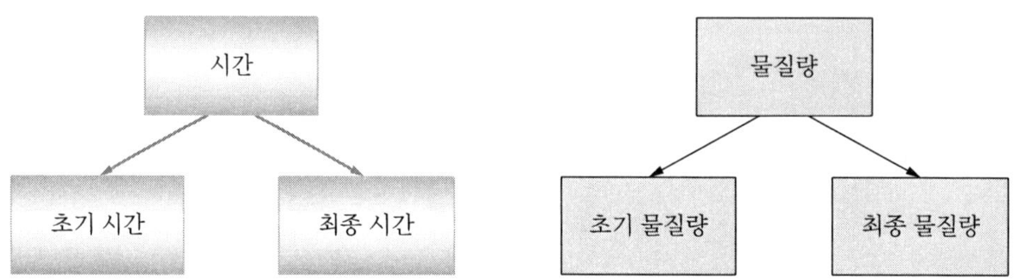

우선, 시간을 문자 t라 사용한다. (이것은 time의 첫 자인 t를 사용한다.) Box 2 내용에서 초기 시간과 최종 시간인 두 개의 시간이 있다. 두 시간을 구별하기 위하여 숫자 1과 2를 아래첨자로 사용한다. 예를 들면, 초기 시간은 숫자 1을 아래첨자로 하여 t_1이라 하고, 최종 시간은 숫자 2를 사용하여 t_2라 표현한다. 덧붙여 두 시간 사이의 시간 차이는 Δ를 사용하여 Δt라 표현하고 그 정의는 최종 시간에서 초기 시간을 뺀 것이다.

$$\Delta t \; = \; \text{최종 시간} - \text{초기 시간}$$

$$\Delta t \; = \; t_2 - t_1$$

탱크 내에 물질의 질량은 M이라 표현한다. (질량은 영어로 mass이며, 그 첫 자로 M을 사용하며, 그 단위는 kg, g, lb 등 질량 단위임을 유의하자.) 초기 시간(t_1)에서 물질의 질량은 초기 시간과 동일한 숫자 1을, 최종 시간에서 물질의 질량은 숫자 2를 사용하여 각각 M_1과 M_2라 표기한다. 두 시간 사이의 물질의 질량변화는 ΔM이라 하고, 정의는 다음과 같다.

ΔM = 최종 물질의 질량 − 초기 물질의 질량

$\Delta M = M_2 - M_1$

또한, 탱크로 들어가는 물질의 질량은 in을 아래첨자로 붙여서 M_{in}이라 하고, 탱크를 떠나는 물질의 질량은 out을 아래첨자로 붙여서 M_{out}이라 한다.

ΔM = 시간 동안 유입된 물질의 총 질량 − 시간 동안 유출된 물질의 총 질량

$\Delta M = M_{in} - M_{out}$

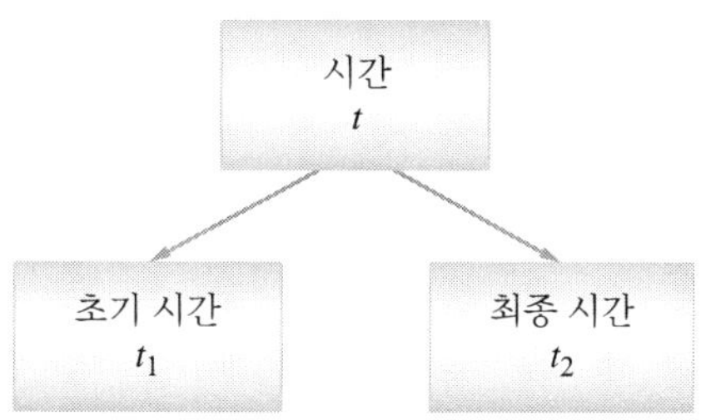

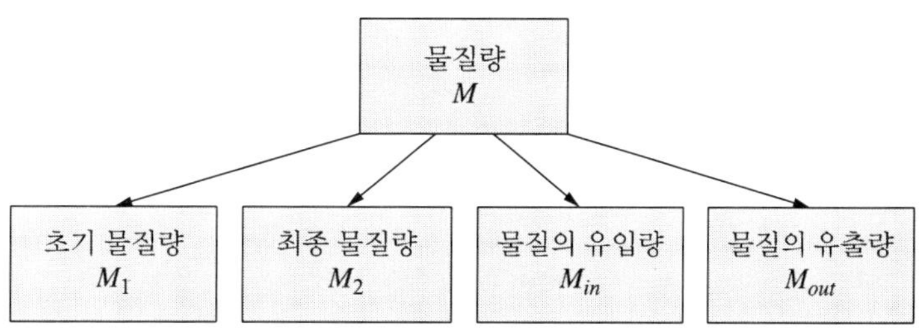

한 물리량을 다양한 조건에 의한 여러 개의 값들로 사용할 경우, 각기 조건을 숫자와 첨자들을 사용하면 최소한의 문자를 사용하여 많은 공정변수를 표현할 수 있군요.

주의! 우리는 유입량과 유출량의 표기를 M_{in}과 M_{out} 대신에 F와 P로 사용하기도 한다. (Feed F and Product P)

3. 연속반응기의 물질수지식

연속반응기란 반응이 진행되는 동안, 반응기로 물질의 유입과 유출의 흐름이 계속되는 반응기를 의미한다. 이러한 반응기의 축적상태를 확인하는 방법은 앞서 설명한 바와 같이 두 가지가 있다.

A. 초기 시간에서 물질량과 최종 시간에서 물질량을 이용

아세톤이 서로 다른 유속으로 연속적으로 유입되고 유출되는 연속공정인 탱크 내에 존재하는 아세톤의 양을 직접 측정하는 방법으로, 탱크 내에 존재하는 아세톤양은 t_1(8시)에 M_1(3 kg)이었고, t_2(9시)에는 M_2(4 kg)로 측정되었다.

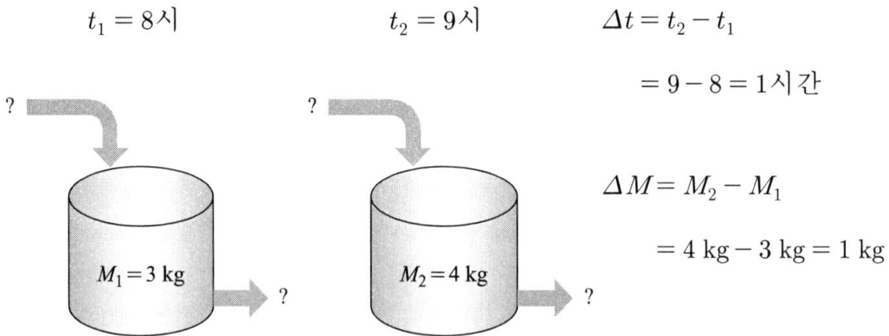

이것은 한 시간(Δt) 동안 탱크 내 아세톤이 1 kg 축적되었다고 한다.

초기 t_1에서 공정 내 존재하는 아세톤의 양(M_1)과 최종 t_2에서 아세톤의 양(M_2)을 이용하면, 축적량은 다음과 같다.

$$\text{물질의 축적량} = \text{물질의 최종량} - \text{물질의 초기량} \tag{10.11}$$

$$\Delta M = M_2 - M_1$$

공정 내 존재하는 초기 t_1에서 아세톤의 양(M_1)과 최종 t_2에서 아세톤의 양(M_2)을 이용하면, 축적량은 다음과 같이 자세히 표현한다.

$$\begin{bmatrix} \Delta t \text{ 동안} \\ \text{물질의 축적량} \end{bmatrix} = \begin{bmatrix} t_2\text{일 때} \\ \text{물질의 양} \end{bmatrix} - \begin{bmatrix} t_1\text{일 때} \\ \text{물질의 양} \end{bmatrix} \tag{10.12}$$

B. 관찰시간 동안에 계로 유입된 총 물질량과 유출된 총 물질량을 이용

탱크 내 아세톤 축적량을 확인하기 위하여 탱크 내 아세톤 양의 변화를 직접 측정하기 보다, Δt(한 시간) 동안 탱크로 유입되는 아세톤의 총량(M_{in})과 유출되는 총량(M_{out})을 측정한다. 아세톤의 총 유입량과 유출량이 각각 11 kg과 10 kg이었다면 그 시간 동안 탱크 내에 아세톤의 양은 1 kg이 증가한 것이다.

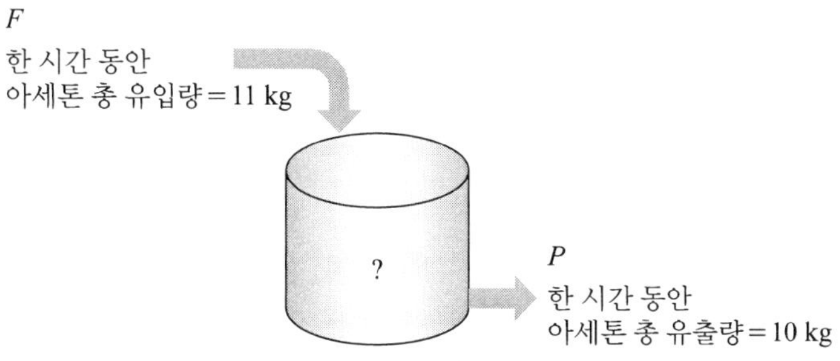

Δt(한 시간) 동안 아세톤 유입량은 $F = 11$ kg이고, 아세톤 유출량은 $P = 10$ kg이므로 아세톤의 축적량(ΔM)은 1 kg이 된다.

$$\text{축적량} = \text{총 유입량} - \text{총 유출량} \tag{10.13}$$

$$\Delta M = F - P \tag{10.14}$$

$$\begin{bmatrix} \Delta t \text{ 동안} \\ \text{계 안의} \\ \text{물질의 축적량} \end{bmatrix} = \begin{bmatrix} \Delta t \text{ 동안} \\ \text{계로 유입된} \\ \text{물질의 양} \end{bmatrix} - \begin{bmatrix} \Delta t \text{ 동안} \\ \text{계로부터 유출된} \\ \text{물질의 양} \end{bmatrix} \tag{10.15}$$

Δt 동안의 탱크 내 축적량인 식 (10.11)은 식 (10.13)과 연결한다.

$$\text{축적량} = \text{최종량} - \text{최초량} = \text{유입량} - \text{유출량} \tag{10.16}$$

$$\Delta M = M_2 - M_1 = F - P \tag{10.17}$$

이를 일반 물질수지식(general mass balance equation)이라 한다. 이는 공정을 출입하는 총 물질량에 대하여도 사용할 수 있고, 공정에 포함되어 있는 특정 물질에도 적용할 수 있다.

물질수지식(general mass balance equation)을 다음과 같이 간단하게 외우자.

축적량 = 최종량 − 최초량 = 유입량 − 유출량

그리고 가능한 이 식에서 시작하여 문제를 풀어보자.

연속반응기에서 공정으로 들어가는 물질을 급송물(F, feed)이라 하고, 공정을 떠나는 물질을 유출물(P, product)이라고 한다. 또한 유입과 유출 경로가 여러 개인 경우 위 첨자 1, 2, ⋯ 등으로 구분한다.

예제 10.1

Q&A

다음 그림과 같이 저장 탱크에 물이 초기 60 kg 있었다. 하루 동안 F^1과 F^2를 통하여 각각 20 kg과 50 kg이 유입되었고, P를 통하여 45 kg이 유출되었다.

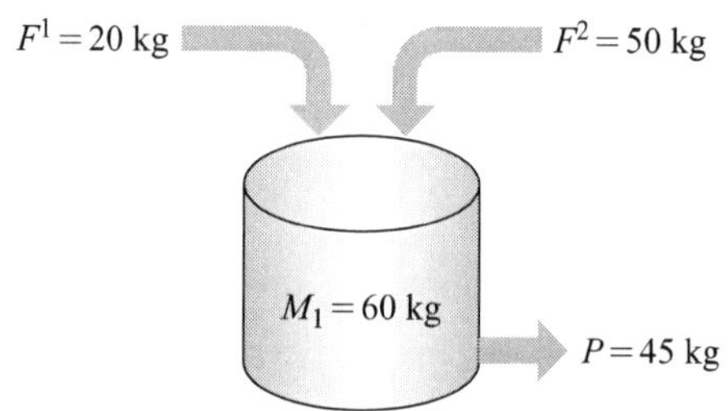

(1) 하루 동안 이 탱크 내 물의 축적량은 얼마인가?

$$\Delta M = M_2 - M_1 = F - P$$

반응기 내의 최종물질의 양($M_2 = ?$)에 대한 정보가 없으므로 가운데 항을 지우면 다음과 같다.

$$\Delta M = F - P \tag{10.18}$$

여기에 유입되는 총량(F)이 F^1과 F^2의 두 파이프라인으로 공급 받으므로

$$F = F^1 + F^2$$

이 된다. 따라서 식 (10.18)은 다음과 같다.

$$\Delta M = F^1 + F^2 - P$$

축적량 = F^1 유입량 + F^2 유입량 − P 유출량
= 20 kmol + 50 kmol − 45 kmol
= 25 kmol

(2) 이 탱크에 남아 있는 물의 양은 얼마인가?

$$\Delta M = M_2 - M_1$$

축적량 = 최종량 − 초기량
25 kmol = x − 60 kmol
x = 85 kmol

Lesson 11

회분식 공정의 물질수지

회분식 반응기는 (원료물질의 양) = (생성물질의 양)임을 기억하자.

회분식 반응기는 초기에 원료를 투입하여 반응시키고 반응이 종료되면 생성물을 한꺼번에 꺼내는 반응기로, 반응 시작 전에 반응기를 채운 원료물질을 유입물(input)이라 하고, 반응 후 생성물질을 생성물(output)이라고 한다.

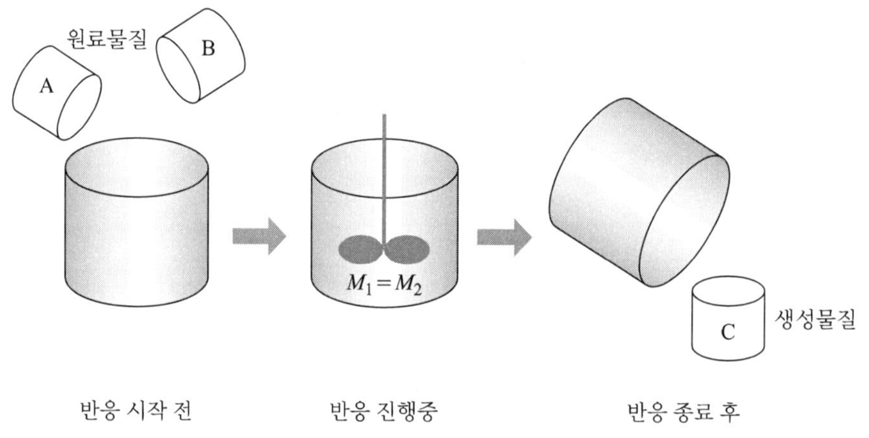

회분식 공정은 공정이 진행되는 동안 물질의 유입과 유출이 없다는 것이 특징이다. 따라서 반응이 시작되는 t_1에서의 M_1과 반응이 종결되는 t_2에서 M_2의 양은 같다.

$$M_1 = M_2$$

초기의 M_1은 반응직전에 반응기로 도입된 원료물질 A와 B의 합이 되고, M_2은 반응 후에 제거된 생성물질 C가 된다.

$$M_1 = A + B, \qquad M_2 = C$$

$$A + B = C$$

다시 말하면 '원료물질 A와 B의 합은 생성물질 C와 같아진다.'

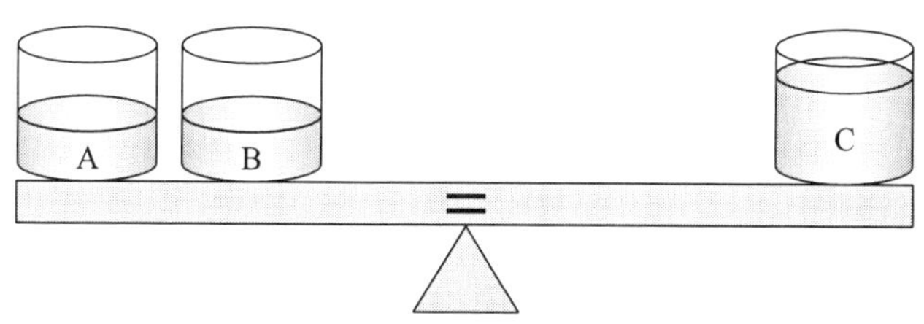

연속공정의 물질수지식을 조금 변형하여 관찰시간 동안 물질의 출입이 없는 회분식 공정의 물질수지식을 표현해보자.

$$\text{축적량} = \text{최종량} - \text{최초량} = \text{유입량} - \text{유출량} \tag{10.16}$$

$$\Delta M = M_2 - M_1 = F - P \tag{10.17}$$

앞 장에서 유입량(F)과 유출량(P)은 관찰시간 동안 반응기로 연속적으로 들어가고 나온 양의 총합을 의미했다. 회분식 반응기는 관찰시간 동안 유입되고 유출되는 물질이 없다. 대신에 관찰시간 전과 후, 즉 반응 전과 반응 후에 투입되고 제거된 물질의 양을 유입량과 유출량으로 정의하자. 이를 구별하기 위하여 유입량은 첨자 i를 사용하여 F_i라고 하고 유출량은 첨자 t를 사용하여 P_t라고 하자. (i는 initial의 첫 자의 i이고, t는 terminal의 첫 자인 t임.)

$$\Delta M = M_2 - M_1 = F_i - P_t$$

결과적으로 회분식 반응기에서는 반응 중에 유입되고 유출되는 양이 없으므로 관찰시간동안 M_1과 M_2가 같아진다. 즉 $M_1 = M_2$가 된다.

$$\Delta M = M_2 - M_1$$

$$\Delta M = 0$$

이 된다. 또한

$$\Delta M = F_i - P_t$$

가 되고 $\Delta M = 0$이므로

$$0 = F_i - P_t$$

$$F_i = P_t$$

가 된다. 따라서 유입량은 유출량이 된다.

유입량 = 유출량

회분식 반응기의 물질수지식은 다음과 같다.
유입량 = 유출량

중학교 1학년 수학에서 배운 소금물에 관한 문제가 일종의 회분식 공정에 대한 물질수지식인 유입량=유출량임을 이해하자.

먼저 퍼센트 농도의 정의를 살펴보자.

$$\text{소금물의 농도(\%)} = \frac{\text{소금의 양}}{\text{소금물의 양}} \times 100 \tag{11.1}$$

이 식의 양변에 (소금물의 양)을 곱하고 100을 나누면 다음 식이 된다.

$$\text{소금의 양} = \frac{\text{소금물의 농도(\%)}}{100} \times \text{소금물의 양} \tag{11.2}$$

'소금의 양'은 곧 '(소금물의 농도) / 100 × (소금물의 양)'이라는 뜻으로, 소금의 양을 직접 알 수 없을 때 식 (11.2)의 우항을 계산한 값이 곧 소금의 양의 값이 된다.

예를 들면, 25% 소금물 300 g 속의 순수한 소금의 양은 다음과 같이 75 g이다.

$$\text{소금의 양} = \frac{\text{소금물의 농도(\%)}}{100} \times \text{소금물의 양}$$

$$= 25\% \ / \ 100 \times 300 \text{ g}$$

$$= 75 \text{ g}$$

예제 11.1

두 종류의 소금물이 있다. 하나는 10%의 소금물 100 g(A)이고 다른 것은 25%의 소금물이 200 g(B)이다. 이 둘을 섞으면 몇 %의 소금물(C)이 될까?

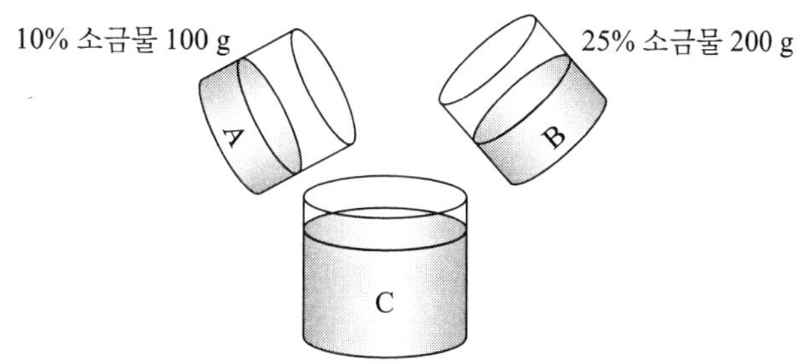

Solution

먼저, A에 존재하는 소금의 양과 B에 존재하는 소금의 양을 합하면 C에 존재하는 소금의 양과 같아진다. 이것이 물질수지가 된다.

$$\begin{aligned} &\text{A에 존재하는 소금의 양} + \text{B에 존재하는 소금의 양} \\ &\quad = \text{C에 존재하는 소금의 양} \end{aligned} \tag{11.3}$$

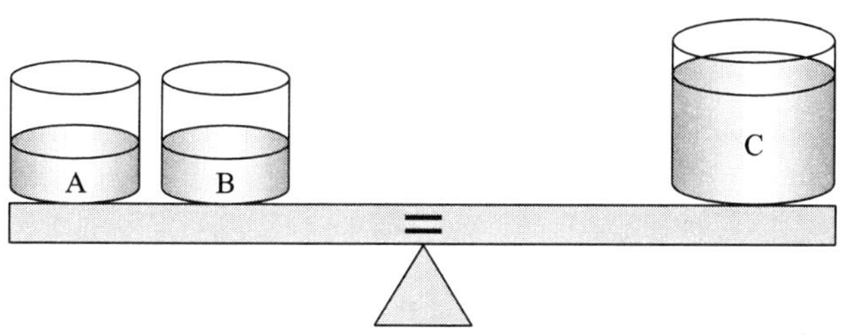

각 소금물 속에 존재하는 소금의 양을 직접 알 수 없으므로 식 (11.2)를 사용하여 계산한다.

$$\begin{aligned} &\frac{\text{소금물 A의 농도(\%)}}{100} \times \text{소금물 A의 양} \\ &\quad = \frac{10}{100} \times 100\text{ g} = 10\text{ g} \qquad \rightarrow \text{A에 존재하는 소금의 양} \end{aligned}$$

$$\frac{\text{소금물 B의 농도(\%)}}{100} \times \text{소금물 B의 양}$$

$$= \frac{25}{100} \times 200\text{ g} = 50\text{ g} \qquad \rightarrow \text{B에 존재하는 소금의 양}$$

소금물 C의 양은 소금물 A의 양(100 g)과 소금물 B의 양(200 g)의 합인 300 g이므로

$$\frac{\text{소금물 C의 농도(\%)}}{100} \times \text{소금물 C의 양}$$

$$= \frac{x}{100} \times 300\text{ g} = 3x \qquad \rightarrow \text{C에 존재하는 소금의 양}$$

A, B, C 소금의 양의 값을 식 (11.3)에 대입한다.

A에 존재하는 소금의 양 + B에 존재하는 소금의 양 = C에 존재하는 소금의 양

$10\text{ g} + 50\text{ g} = 3x$

$x = 60/3 = 20\%$

따라서, C 탱크 내 소금물의 농도는 20%이다.

이 문제도 결국 물질수지식을 세우고 푸는 것이었단다.

중학교 1학년 때 이미 물질수지의 개념을 배운 것이네요.

예제 11.2

Q&A

40% 에탄올 200 g 수용액(A)과 65% 에탄올 300 g 수용액(B)이다. 농도가 다른 두 에탄올 수용액을 혼합한 에탄올 수용액(C)의 농도(x)는 얼마인가?

Solution

우선 물질수지식을 에탄올과 물을 합한 양의 물질수지식(혼합물)과 에탄올의 양만 고려한 물질수지식(성분)을 세운다.

(1) 혼합물

40% 수용액의 양(A) + 65% 수용액의 양(B) = 혼합 수용액의 양(C)

$$200\ \mathrm{g} + 300\ \mathrm{g} = \mathrm{C}$$

(2) 에탄올 성분

A혼합물 중 에탄올의 양 + B혼합물 중 에탄올의 양 = C혼합물 중 에탄올의 양

$$200\ \mathrm{g} \times \frac{40}{100} + 300\ \mathrm{g} \times \frac{65}{100} = \mathrm{C} \times \frac{x}{100}$$

위 두 식을 연립해서 풀면, $\mathrm{C} = 500\ \mathrm{g}$, $x = 55\%$가 된다.

예제 11.2의 두 식을 합쳐서 식 하나로 표현해도 되나요?

에탄올 성분

A혼합물 중 에탄올의 양 + B혼합물 중 에탄올의 양 = C혼합물 중 에탄올의 양

$$200\ \mathrm{g} \times \frac{40}{100} + 300\ \mathrm{g} \times \frac{65}{100} = (200 + 300) \times \frac{x}{100}$$

이를 풀면 $x = 55\%$가 된다.

물론이지. 하지만 앞으로 시스템이 복잡해지면 따로따로 수지식을 세워서 연립방정식으로 풀이하는 것이 편리할 수도 있단다.

예제 11.3

Q&A

40% 에탄올 200 g 수용액(A)에 물(B)로 희석하여 25% 에탄올 수용액(C)이 되었다. 희석한 물의 양(g)은 얼마인가?

Solution

우선 물질수지식을 에탄올과 물을 합한 양의 물질수지식(혼합물)과 에탄올의 양만 고려한 물질수지식(성분)을 세운다.

(1) 혼합물

40% 수용액의 양(A) + 희석에 사용된 물의 양(B) = 혼합 수용액의 양(C)

$$200\ \text{g} + \text{B} = \text{C}$$

(2) 에탄올 성분

A혼합물 중 에탄올의 양 + B혼합물 중 에탄올의 양 = C혼합물 중 에탄올의 양

$$200\ \text{g} \times \frac{40}{100} + \text{B} \times \frac{0}{100} = \text{C} \times \frac{25}{100}$$

이를 풀면, $\text{C} = 320\ \text{g}$이 되고 $\text{B} = 120\ \text{g}$가 된다.

정리하기

(1) 물질수지식

$$\begin{bmatrix} \Delta t \text{ 동안} \\ \text{계 안의 축적량} \end{bmatrix} = \begin{bmatrix} t_2\text{일 때 계에} \\ \text{존재하는 양} \end{bmatrix} - \begin{bmatrix} t_1\text{일 때 계에} \\ \text{존재하는 양} \end{bmatrix}$$

$$= \begin{bmatrix} \Delta t \text{ 동안} \\ \text{계에 유입된} \\ \text{총량} \end{bmatrix} - \begin{bmatrix} \Delta t \text{ 동안} \\ \text{계에 유출된} \\ \text{총량} \end{bmatrix}$$

계의 축적량 = 탱크 내 최종량 − 탱크 내 초기량
= 총 유입량 − 총 유출량

$$\Delta M = M_2 - M_1 = F - P \qquad (10.17)$$

$M_2 - M_1$는 곧 ΔM을 의미하므로 다음 식 (10.17)의 가운데 항을 생략하거나 좌항을 생략해서 다음과 같이 간결하게 표현한다.

$$\begin{bmatrix} \Delta t \text{ 동안} \\ \text{계 안의} \\ \text{물질의 축적량} \end{bmatrix} = \begin{bmatrix} \Delta t \text{ 동안} \\ \text{계로 유입된} \\ \text{물질의 양} \end{bmatrix} - \begin{bmatrix} \Delta t \text{ 동안} \\ \text{계로부터 유출된} \\ \text{물질의 양} \end{bmatrix}$$

축적량 = 유입량 − 유출량

$$\Delta M = F - P$$

$$\begin{bmatrix} t_2\text{일 때 계에} \\ \text{존재하는 양} \end{bmatrix} - \begin{bmatrix} t_1\text{일 때 계에} \\ \text{존재하는 양} \end{bmatrix} = \begin{bmatrix} \Delta t \text{ 동안} \\ \text{계에 유입된} \\ \text{총량} \end{bmatrix} - \begin{bmatrix} \Delta t \text{ 동안} \\ \text{계에 유출된} \\ \text{총량} \end{bmatrix}$$

탱크 내 최종량 − 탱크 내 초기량 = 유입량 − 유출량

$$M_2 - M_1 = F - P$$

(2) 연속공정의 물질수지

계의 축적량 = 총 유입량 − 총 유출량

$$\Delta M = F - P$$

(3) 회분식 공정의 물질수지

계의 축적량=0이므로

최초 유입량 = 최종 유출량

$$F = P$$

미리 일러두기

물질수지식을 다음과 같이 기억한다.

축적량 = 최종량 − 최초량 = 유입량 − 유출량

[ ] 속의 표현은 물질수지식의 정의를 보다 상세하게 표기한 것이다.

$$\begin{bmatrix} \Delta t \text{ 동안} \\ \text{계 안의 축적량} \end{bmatrix} = \begin{bmatrix} t_2\text{일 때 계에} \\ \text{존재하는 양} \end{bmatrix} - \begin{bmatrix} t_1\text{일 때 계에} \\ \text{존재하는 양} \end{bmatrix}$$

$$= \begin{bmatrix} \Delta t \text{ 동안} \\ \text{계에 유입된} \\ \text{총량} \end{bmatrix} - \begin{bmatrix} \Delta t \text{ 동안} \\ \text{계에 유출된} \\ \text{총량} \end{bmatrix}$$

물질수지식은 다음 한글 표현

축적량 = 최종량 − 최초량 = 유입량 − 유출량

으로 개념을 이해하는데 어려움이 없다. 그럼에도 불구하고 Lesson 10에서 문자(M, t)를 사용하고 첨자(1, 2, in, out)로 복잡하게 표현하는 이유는

$$\Delta M = M_2 - M_1 = F - P$$

내부에너지, 운동에너지 및 위치에너지 등과 같은 에너지를 다루게 되면 한글로 간단히 표현하는 것이 어렵기 때문이다. 이때, 문자와 첨자를 사용함으로서 미묘한 차이를 정확하게 표현할 수 있을 뿐만 아니라 편리하고 효과적이다.

비록 후에 학습하게 될 에너지수지에서 좀 더 쉽게 적응되기 바라는 마음에서, Part 2 물질수지식에 영문자와 첨자와 같은 표기를 사용하려 하오나, 아직 영문자 표현이 부담스럽다면 그냥 한글 표현에 집중하도록 하자.

Lesson 12

연속공정의 정상상태 물질수지

회분식 반응기는 축적량이 0인데 연속반응기는 축적량이 0인 경우가 있나요?

물론이지. 연속반응기의 축적량이 0인 경우에 대하여 살펴보자.

1. 정상상태

물질이 연속적으로 유입되고 유출되는 공정은 공정의 변수(질량, 부피, 농도, 온도, 압력 등)가 유입과 유출에 의해 변화하기 쉽다. 일정한 품질의 제품을 생산하기 위해서, 연속적인 공정임에도 불구하고 공정의 변수들(질량, 부피, 농도, 온도, 압력 등)을 일정한 값으로 지속적으로 유지한다. 이렇게 변수값들이 시간에 따라 변하지 않고 일정할 때, 이를 '정상상태'에서 운전된다고 한다. 즉, 물질이나 특성들이 시간이 변해도 일정하게 유지되는 상태를 정상상태(steady state)라 한다.

물질수지식은 다음과 같다.

$$\begin{bmatrix} \Delta t \text{ 동안} \\ \text{계 안의 축적량} \end{bmatrix} = \begin{bmatrix} t_2 \text{일 때 계에} \\ \text{존재하는 양} \end{bmatrix} - \begin{bmatrix} t_1 \text{일 때 계에} \\ \text{존재하는 양} \end{bmatrix}$$

$$= \begin{bmatrix} \Delta t \text{ 동안} \\ \text{계에 유입된} \\ \text{총량} \end{bmatrix} - \begin{bmatrix} \Delta t \text{ 동안} \\ \text{계에 유출된} \\ \text{총량} \end{bmatrix}$$

계의 축적량 = 탱크 내 최종량 − 탱크 내 초기량

= 총 유입량 − 총 유출량

$$\Delta M = M_2 - M_1 = F - P$$

다음 탱크의 물질의 양을 살펴보자. 비록 물질이 연속적으로 유입되고 유출되지만 탱크 내에 물질의 양은 일정하게 유지되는 것(점선)을 볼 수 있다. 이 탱크는 물질의 양에 있어서 정상상태에 있다고 말할 수 있다.

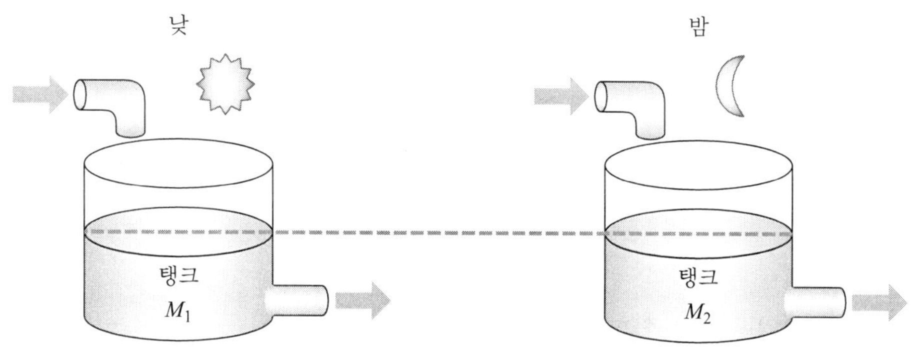

$$M_2 = M_1$$

탱크 내에 물질의 양은 일정하게 유지된다는 말은 $\Delta M = 0$이 된다. 위 식들의 좌항의 축적량은 0이 되므로 유입량은 곧 유출량이 된다.

$$0 = \begin{bmatrix} \Delta t \text{ 동안} \\ \text{계에 유입된 총량} \end{bmatrix} - \begin{bmatrix} \Delta t \text{ 동안} \\ \text{계에 유출된 총량} \end{bmatrix}$$

$$0 = \text{총 유입량} - \text{총 유출량}$$

$$0 = F - P$$

즉,

$$\begin{bmatrix} \Delta t \text{ 동안} \\ \text{계에 유입된 총량} \end{bmatrix} = \begin{bmatrix} \Delta t \text{ 동안} \\ \text{계에 유출된 총량} \end{bmatrix}$$

$$\text{총 유입량} = \text{총 유출량}$$

$$F = P$$

따라서 정상상태의 연속공정도 정상상태에서는 운전될 때, 유입량은 곧 유출량이 된다.

$$\text{총 유입량} = \text{총 유출량}$$

연속공정이 정상상태로 운전될 때의 물질수지식은 회분식 반응기의 물질수지식과 아주 유사하네요.

유입량 = 유출량

물론 아주 비슷하지만 회분식 반응기는 공정이 시작되면 원료의 유입과 생성물의 유출이 없단다. 그래서 유입량과 유출량은 공정이 시작되기 전에 원료의 양과 공정이 종결된 후의 생성물의 양이 같다는 의미인 반면에, 정상상태는 공정 중에 원료물질이 연속적으로 유입되고 생성물질이 연속적으로 유출되는 공정에서 유입량과 유출량은 관찰하는 시간동안 유입되는 총량과 유출되는 총량을 의미한다.

여러 출입 흐름이 있는 경우

여러 개의 유입/유출흐름을 가지는 공정에서 그 흐름들을 나열하기 위하여 숫자를 사용하자. 하지만 우리는 이미 숫자 1과 2를 시간에 대한 아래첨자로 사용하였다. 이와 구별하기 위하여 흐름에 대한 숫자는 위첨자로 사용하여 F^1, F^2와 같이 나타낸다.

다음 공정은 3개의 다른 유입흐름과 2개의 유출흐름을 가진다. 유입흐름을 F^1, F^2, 및 F^3라 하고, 유출흐름은 P^1와 P^2라 한다.

계의 축적량 = 탱크 내 최종량 − 탱크 내 초기량
= 총 유입량 − 총 유출량

$$\Delta M = M_2 - M_1 = F - P$$

이 공정이 정상상태라면 $M_2 = M_1$이므로 축적량 $\Delta M = 0$이 되므로

$$0 = M_2 - M_1 = F - P$$

유입흐름의 총합과 유출흐름의 총합의 차이가 축적량이다.

$$F = P$$

유입흐름의 총합 = 유출흐름의 총합

$$F^1 + F^2 + F^3 = P^1 + P^2 \tag{12.1}$$

여러 흐름의 합인 $F^1 + F^2 + F^3$을 좀 더 간단하게 표현할 수 있나요?

흐름의 총합을 시그마 기호($\sum$)로 나타내면 다음과 같이 간단히 표현된다.

$$\sum F = F^1 + F^2 + F^3 \qquad \sum P = P^1 + P^2$$

식 (12.1)을 시그마 기호($\sum$)를 사용하여 다음과 같이 간단히 표현한다.

$$\sum F = \sum P \tag{12.2}$$

식 (12.2)를 질량(m)으로 표현하면

$$\sum m^{in} = \sum m^{out}$$

반응을 동반하는 경우 몰수(n)로 표현하는 것이 편리하다.

$$\sum n^{in} = \sum n^{out}$$

또한 물질이 유체(액체나 기체)인 경우, 공정 중에 물질의 양을 부피로 측정하는 것이 용이하다. 유체의 경우는 부피(V)로 표현한다.

$$\sum V^{in} = \sum V^{out}$$

이 부피에 밀도(ρ)를 곱하면 질량으로 환산된다.

질량(m) = 밀도(ρ) × 부피(V)

$$\sum (\rho V)^{in} = \sum (\rho V)^{out}$$

공정변수의 속도 표현

이제는 물질의 양을 속도의 개념으로 확장하여 '질량유속'으로 표현해보자.

앞서 유입량과 유출량을 일정시간 동안 공정으로 들어가고 나가는 총량을 사용했다. 앞으로는 질량속도의 개념을 도입하여 단위 시간당 질량을 사용하자. 이를 질량유속이라 한다. 질량유속은 질량을 나타내는 문자 m의 상단에 점(˙)를 찍어서 $\dot{m}$으로 표현되고, 이와 유사하게 단위 시간당 몰수를 의미하는 몰유속의 경우 몰수를 나타내는 문자 n 상단에 점(˙)을 찍어서 $\dot{n}$가 된다.

연속공정 정상상태에서 (유입 질량속도의 합) = (유출 질량속도의 합)이다.

$$\dot{m}^{F1} + \dot{m}^{F2} + \dot{m}^{F3} = \dot{m}^{P1} + \dot{m}^{P2}$$

$$\sum \dot{m}^{in} = \sum \dot{m}^{out}$$

$$\sum \dot{n}^{in} = \sum \dot{n}^{out}$$

$$\sum \dot{V}^{in} = \sum \dot{V}^{out}$$

$$\sum (\rho \dot{V})^{in} = \sum (\rho \dot{V})^{out}$$

예제 12.1 질량유속

다음 서로 다른 흐름에 의해 오염된 기름이 폐유탱크로 흘러들어가 모여서 한 개의 파이프로 유출된다. 파이프를 통하여 이동하는 폐유 질량유속은 다음과 같이 측정되었다. 이 폐유탱크를 일정 질량으로 유지하기 위해서 방출되는 질량유속은 얼마로 유지하면 되는가?

유입흐름	질량유속
F^1	198 kg/hr
F^2	240 kg/hr
F^3	2.1 kg/min

혼합탱크는 여러 개의 유입흐름과 하나의 유출흐름을 가진다.

계의 축적량 = 탱크 내 최종량 − 탱크 내 초기량
= 총 유입량 − 총 유출량

$$\Delta M = M_2 - M_1 = F - P$$

이 혼합탱크가 정상상태에서 운전되므로 $\Delta M = M_2 - M_1 = 0$

유출속도 = 유입속도

$$\dot{m}^P = \dot{m}^{F^1} + \dot{m}^{F^2} + \dot{m}^{F^3}$$

$$\dot{m}^P = \frac{198\ \text{kg}}{\text{hr}} + \frac{240\ \text{kg}}{\text{hr}} + \frac{2.1\ \text{kg}}{\text{min}} \times \frac{60\ \text{min}}{\text{hr}} = 564\ \text{kg/hr}$$

따라서, 폐유탱크를 정상상태로 유지하기 위하여 유출흐름을 564 kg/hr로 유지해야 한다.

예제 12.2 부피유속

Q&A

다음 서로 다른 흐름에 의해 오염된 기름이 폐유탱크로 흘러들어오고, 한 개의 파이프로 유출된다. 폐유는 부피속도로 측정되어지고 각 흐름의 유체의 밀도가 다음과 같다. 이 폐유탱크를 일정 질량으로 유지하기 위해서 방출되는 부피유속은 얼마로 유지하면 되는가? 단, 유출흐름의 밀도는 677 g/L였다.

흐름	밀도	부피유속
1	847 g/L	108 L/hr
2	775 g/L	220 L/hr
3	720 g/L	95 L/hr

Solution

$$\rho^1 \dot{V}^1 + \rho^2 \dot{V}^2 + \rho^3 \dot{V}^3 = \rho^{out} \dot{V}^{out}$$

$$\frac{847\ \mathrm{g}}{\mathrm{L}} \times \frac{108\ \mathrm{L}}{\mathrm{hr}} + \frac{775\ \mathrm{g}}{\mathrm{L}} \times \frac{220\ \mathrm{L}}{\mathrm{hr}} + \frac{720\ \mathrm{g}}{\mathrm{L}} \times \frac{95\ \mathrm{L}}{\mathrm{hr}} = \frac{677\ \mathrm{g}}{\mathrm{L}} \dot{V}^{out}$$

$$\dot{V}^{out} = 488\ \mathrm{L/hr}$$

따라서, 폐유탱크의 부피유속은 488 L/hr이다.

2. 성분에 대한 물질수지

혼합물의 경우, 혼합물 속의 일부 성분에 대한 물질수지를 세워도 되나요?

정상상태는 혼합물 전체뿐만 아니라 그 속의 특정성분의 상태도 일정하게 유지된다는 뜻이에요.

예를 들면, 소금과 물로 이루어진 혼합물이 연속적으로 출입되는 공정이 정상상태로 유지된다면, 소금물(혼합물)에 의한 물질수지식뿐만 아니라 소금의 양에 대한 물질수지식과 물의 양에 의한 물질수지식이 모두 성립한다는 뜻이다.

다음 공정에 50% 소금물 100 kg/hr과 30% 소금물 150 kg/hr가 공급되는 탱크가 정상상태로 운전될 때 소금물의 유출량과 농도를 구하라.

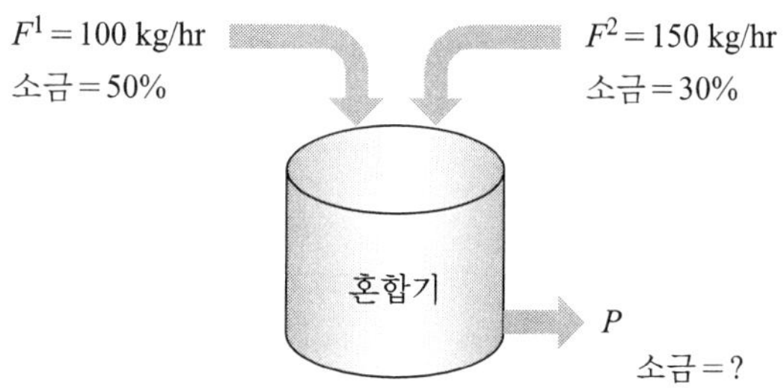

하나 이상의 물질수지식을 세울 수 있다. 소금물(용액, 혼합물), 소금(용질, 특정성분) 혹은 물(용매, 특정성분)에 대한 물질수지식을 세운다.

계의 축적량 = 총 유입량 − 총 유출량

정상상태의 운전은 계의 축적량 0이므로 물질수지식은 다음과 같다.

총 유입량 = 총 유출량

▶ **소금물의 물질수지** :

F^1 소금물의 양 + F^2 소금물의 양 = P 소금물의 양

$100\ \mathrm{kg/hr} + 150\ \mathrm{kg/hr} = P$

$\therefore\ P = 250\ \mathrm{kg/hr}$

▶ **소금의 물질수지** :

F^1 속의 소금의 양 + F^2 속의 소금의 양 = P 속의 소금의 양

소금의 양은 소금물의 농도(%) / 100 × 소금물의 양이므로

$$\frac{50}{100} \times 100 + \frac{30}{100} \times 150 = \frac{x}{100} \times P$$

$P = 250\ \mathrm{kg}$이므로 $x = 38\%$가 된다.

정상상태 연속공정의 전체 물질량(m_{Total})에 대하여 적용하는 물질수지식은 전체 양 중 특정 성분 A(m_A)의 양에 대하여 다음과 같이 적용할 수 있다.

전체 물질수지 : $m_{Total}^{out} = m_{Total}^{1} + m_{Total}^{2} + m_{Total}^{3} + \cdots$

성분 A의 물질수지 : $m_A^{out} = m_A^1 + m_A^2 + m_A^3 + \cdots$

성분 B의 물질수지 : $m_B^{out} = m_B^1 + m_B^2 + m_B^3 + \cdots$

$\vdots$

성분 i의 물질수지 : $m_i^{out} = m_i^1 + m_i^2 + m_i^3 + \cdots$

혼합물 중에서 성분 A 질량을 직접 알 수 없고 그 분율이 주어진 경우, 성분 A의 분율($x_A = m_A / m_{Total}$)에 혼합물 총 질량(m_{Total})을 곱하면 그 성분 A 질량(m_A)이 된다.

$$m_A = x_A m_{Total}$$

따라서 식을 다음과 같이 표현할 수 있다.

성분 A의 물질수지 : $x_A^{out} \dot{m}^{out} = x_A^1 \dot{m}^1 + x_A^2 \dot{m}^2 + x_A^3 \dot{m}^3 + \cdots$

■ 성분 A와 성분 B로 혼합물이 서로 다른 조성을 가진 채 두 유입경로 F^1과 F^2를 통하여 각각 시간당 100 kg와 150 kg의 유속으로 혼합기로 유입된다. 이 혼합기는 정상상태를 유지하면서 P를 통하여 혼합액이 유출된다.

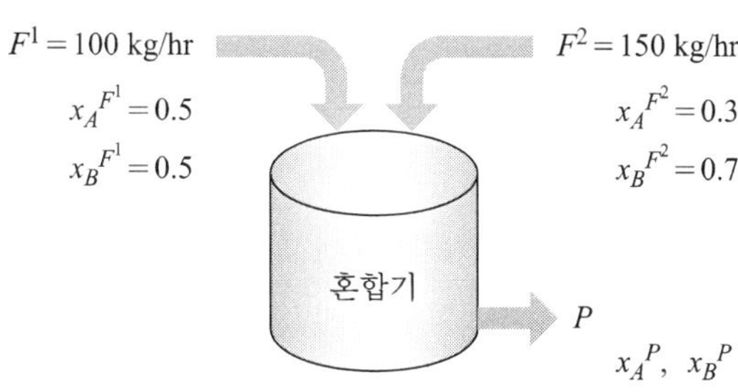

이 혼합기의 물질수지식은 다음과 같다.

물질의 축적량 = 유입량 − 유출량

1시간 동안 이 혼합기는 정상상태(축적량 = 0)이다.

유출량 = 유입량

성분 A와 성분 B로 이루어진 혼합물의 물질수지식은 3가지가 가능하다. 즉, 성분 A의 물질수지, 성분 B의 물질수지 및 혼합물 전체의 물질수지이다.

▶ **혼합물 전체의 총 물질수지** :

P를 통한 총 물질 유출량

= F^1을 총 물질 유출량 + F^2을 총 물질 유출량

$$m^P = m^{F^1} + m^{F^2}$$

▶ **성분 A에 대한 물질수지** :

P를 통한 성분 A 유출량

= F^1을 통한 성분 A 유출량 + F^2를 통한 성분 A 유출량

$$m_A^P = m_A^{F^1} + m_A^{F^2}$$

$$x_A^P m^P = x_A^{F^1} m^{F^1} + x_A^{F^2} m^{F^2}$$

▶ **성분 B에 대한 물질수지 :**

P를 통한 성분 B 유출량

= F^1을 통한 성분 B 유출량 + F^2를 통한 성분 B 유출량

$$m_B^P = m_B^{F^1} + m_B^{F^2}$$

$$x_B^P m^P = x_B^{F^1} m^{F^1} + x_B^{F^2} m^{F^2}$$

예제 12.3

혼합탱크에 50%의 NaOH수용액과 30%의 NaOH수용액이 흐름 F^1과 흐름 F^2를 통하여 각각 시간당 100 kg과 150 kg 유입된다. 이 혼합탱크는 정상상태를 유지하면서 유출 P가 된다. 이 혼합탱크에서 유출되는 NaOH 성분의 양과 질량분율을 구하여라.

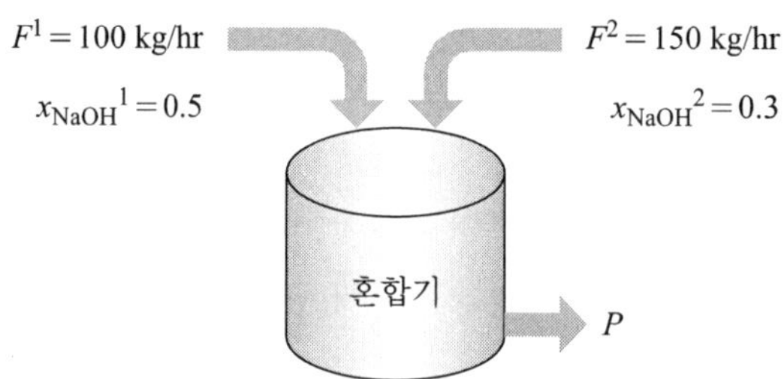

Solution

물질수지식은 다음과 같다.

물질의 축적량 = 유입속도 − 유출속도

공정이 정상상태로 유지된다면, (유출속도) = (유입속도)이다.

▶ 총 물질수지 :

$$\dot{m}^P = \dot{m}^{F^1} + \dot{m}^{F^2}$$

$$\dot{m}^P = \frac{100\ \text{kg}}{\text{hr}} + \frac{150\ \text{kg}}{\text{hr}} = 250\ \text{kg/hr}$$

▶ NaOH 물질수지 :

$$x^{P}_{\mathrm{NaOH}}\dot{m}^{P} = x^{F^1}_{\mathrm{NaOH}}\dot{m}^{F^1} + x^{F^2}_{\mathrm{NaOH}}\dot{m}^{F^2}$$

$$x^{P}_{\mathrm{NaOH}} \times 250\ \mathrm{kg/hr} = 0.5 \times 100\ \mathrm{kg/hr} + 0.3 \times 150\ \mathrm{kg/hr}$$

$$x^{P}_{\mathrm{NaOH}} = 0.38$$

---

3. 물질수지 문제 풀이과정

문제에 제기된 정보는 점점 많아진다. 복잡한 문제를 단계별로 해석하고 풀어보자.

■ 오렌지주스가 유입되고 얼음이 섞인 슬러리형태와 농축된 오렌지주스로 유출되는 농축 공정이 있다. 공정에 유입되는 오렌지주스의 밀도는 1.01 g/mL이고, 슬러리의 밀도는 0.94 g/mL이다. 농축된 오렌지주스의 유속은 유입되는 오렌지주스 유속의 25%이고, 슬러리의 질량속도는 오렌지주스의 70%이다.

Step 1: 공정을 그리고 주어진 값 표기하기

(1) 우선 문제를 이해하고 관심의 대상인 계를 네모로 그리고, 계의 이름(반응기, 흡수탑, 공정…)을 표시한다.

(2) 계를 출입하는 화살표를 그린다. 공정으로 들어가는 주스라인은 하나이므로 공정을 향하는 화살표는 하나로 표시하고, 농축 오렌지주스와 슬러리가 공정을 떠나는 라인은 두 개이므로, 공정으로부터 나오는 두 개의 화살표를 그린다.

(3) 이러한 화살표 아래 위에 문제에서 제시된 성분이나 양들을 모두 표기하여 한눈에 알아보도록 구성한다. 필요하면 약자나 첨자를 사용한다. 여기서, 주스(Juice)는 첨자 J로, 슬러리(Ice)는 I로, 농축주스(Concentrated juice)는 C로 표현한다.

Step 2: 물질의 양을 가정하거나 숨겨진 양을 계산하기

급송되는 물질의 양이 제시되지 않은 경우, 하나의 급송물을 임의로 정한다. 예를 들면 유입되는 주스의 양이 제시되지 않았다면 100으로 가정하고 풀면 계산이 편리해진다.

$$\dot{V}_J = 100\,\mathrm{mL/sec}$$

농축된 오렌지주스의 유출유속은 유입되는 오렌지주스 유속의 25%이므로, $\dot{V}_C = 0.25\,\dot{V}_J$가 된다.

$$\dot{V}_C = 0.25\,\dot{V}_J = 0.25 \times \frac{100\,\mathrm{mL}}{\mathrm{sec}} = 25\,\mathrm{mL/sec}$$

슬러리의 질량속도는 유입된 오렌지주스의 70%이므로, $\dot{m}_I = 0.7\dot{m}_J$ 즉 $\rho_I \dot{V}_I = 0.7\rho_J \dot{V}_J$가 된다.

$$\dot{V}_I = \frac{0.7\rho_J \dot{V}_J}{\rho_I} = \frac{0.7 \times \dfrac{1.01\,\mathrm{g}}{\mathrm{mL}} \times 100\,\mathrm{mL/sec}}{\dfrac{0.94\,\mathrm{g}}{\mathrm{mL}}} = 75\,\mathrm{mL/sec}$$

Step 3: 물질수지 세우기

연속식 공정의 정상상태의 물질수지식을 질량유속에 대하여 세운다.

유입유속 = 유출유속

질량유속수지

주스의 유입유속 = 슬러리의 유출유속 + 농축주스의 유출유속

$$\rho_J \dot{V}_J = \rho_I \dot{V}_I + \rho_C \dot{V}_C$$

$$\frac{1.01\,\mathrm{g}}{\mathrm{mL}} \times \frac{100\,\mathrm{mL}}{\mathrm{hr}} = \frac{0.94\,\mathrm{g}}{\mathrm{mL}} \times \frac{75\,\mathrm{mL}}{\mathrm{sec}} + \rho_C \times \frac{25\,\mathrm{mL}}{\mathrm{sec}}$$

$$\rho_C = 1.217\,\mathrm{g/mL}$$

이 과정을 요약하면,
첫째 : 공정을 그리고, 주어진 값들을 공정에 표기한다.
둘째 : 물질의 양을 가정하거나, 숨겨진 물질의 양을 계산한다.
셋째 : 물질수지식을 세우고, 그것을 풀어서 해를 구한다.

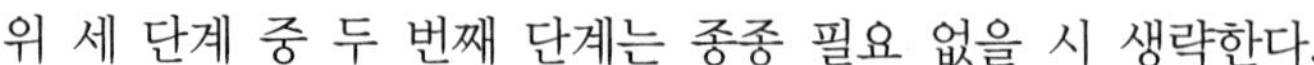
위 세 단계 중 두 번째 단계는 종종 필요 없을 시 생략한다.

일반적으로 반응을 동반할 때는 몰수로 표현하는 것이 편리하다.

전체 물질수지

$$\dot{n}^{out} = \dot{n}^{1} + \dot{n}^{2} + \dot{n}^{3} + \cdots$$

성분 A의 물질수지

$$\dot{n}_A^{out} = \dot{n}_A^{1} + \dot{n}_A^{2} + \dot{n}_A^{3} + \cdots$$

$$y_A^{out} m^{out} = y_A^1 m^1 + y_A^2 m^2 + \cdots$$

정리하기

(1) 정상상태 연속공정의 물질수지

총 유입량 = 총 유출량

전체 물질수지

$$\dot{m}^{out} = \dot{m}^{1} + \dot{m}^{2} + \dot{m}^{3} + \cdots$$

성분 A의 물질수지

$$\dot{m}_A^{out} = \dot{m}_A^{1} + \dot{m}_A^{2} + \dot{m}_A^{3} + \cdots$$

$$x_A^{out} m^{out} = x_A^1 m^1 + x_A^2 m^2 + x_A^3 m^3 + \cdots$$

(2) 다양한 물리적 양으로 물질수지

$$\sum \dot{m}^{in} = \sum \dot{m}^{out}$$

$$\sum \dot{V}^{in} = \sum \dot{V}^{out}$$

$$\sum \dot{n}^{in} = \sum \dot{n}^{out}$$

$$\sum (\rho \dot{V})^{in} = \sum (\rho \dot{V})^{out}$$

(3) 문제 풀이과정

첫째, 공정을 그리고, 주어진 값들을 공정에 표기한다.
둘째, 물질의 양을 가정하거나, 숨겨진 물질의 양을 계산한다.
셋째, 물질수지식을 세우고, 그것을 풀어서 해를 구한다.

Lesson
13 물질수지식과 자유도 해석

'자유도'의 필요성을 연립방정식과 연관 지어서 이해하자.

참조

연립방정식 풀기

$x+2y=10$의 해$(x,\ y)$는 (8, 1), (6, 2), … 등 무수히 많다. 이는 미지수(x와 y)는 두 개인데 방정식은 한 개로 즉, 미지수의 수보다 방정식의 수가 적다면 이 방정식을 만족하는 해는 무수히 많다. 일반적으로 방정식을 푼다는 것은 방정식이 참이 되는 값을 구하는 것으로 두 미지수$(x,\ y)$의 값을 결정하기 위하여 2개의 방정식이 필요하고 이들을 연립해서 풀어서 두 미지수를 구한다.

두 미지수를 알아내기 위해 두 개의 방정식을 얻었다고 하더라도 다음의 3가지 경우가 있다.

- A 경우

$$x+2y=9$$
$$2x+4y=18$$

겉보기에 두 개의 식이라도 두 번째 식을 양변에 2로 나누면 같은 식이 된다. 이 경우를 비록 두 식이 존재하는 것 같지만 이 두 식은 동일한 식이다. 따라서 두 식이 독립적이지 않다.

- B 경우

$$2x+y=9 \quad \rightarrow \quad y=-2x+9$$
$$2x+y=12 \quad \rightarrow \quad y=-2x+12$$

이처럼 두 식이 기울기가 같고 y절편이 다른 경우는 두 식을 만족하는 해가 존재하지 않는다.

- C 경우

$$x + 2y = 9$$
$$2x + y = 6$$

이 두 식은 기울기가 다르며 해가 하나로 x와 y를 결정할 수 있다. 우리가 실질적인 공정에서 필요한 식은 C의 경우에 해당한다.

1. 변수와 식과의 관계

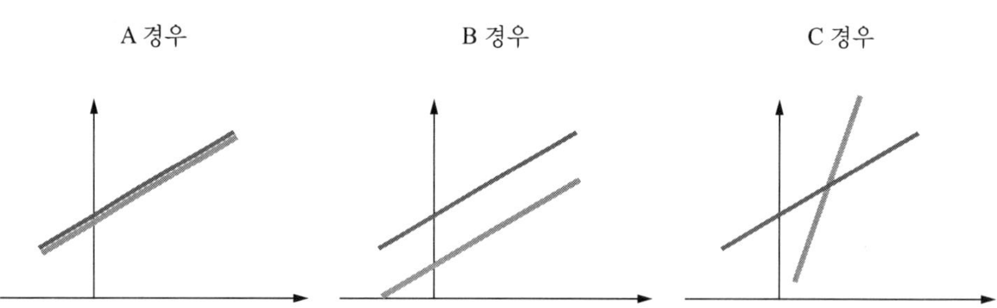

예제 13.1

시간당 44%의 NaOH수용액 A kg(F^1)과 30%의 NaOH수용액 150 kg(F^2)이 혼합탱크로 유입되고, 이 혼합탱크는 정상상태를 유지하면서 유출흐름(P) 내 NaOH의 농도는 38%였다. F^1을 통한 유입량 A는 얼마인가?

Solution

Step 1: 공정을 그리고 주어진 값 표기하기

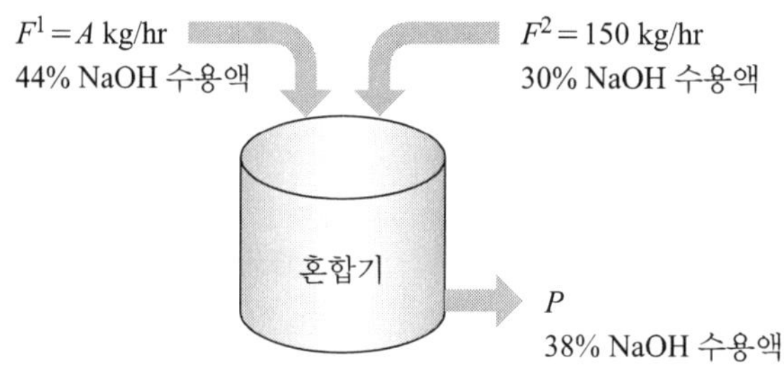

Step 2: 가정하기

한 시간 공정으로 가정하여, 한 시간 동안 유입·유출되는 양을 사용한다.

Step 3: 물질수지 세우기

- 총괄물질수지식 :

$$P = A + 150 \qquad ①$$

- 성분물질수지식 :

F^1 내 NaOH질량 + F^2 내 NaOH질량 = P 내 NaOH질량

$$A \times \frac{44}{100} + 150 \times \frac{30}{100} = P \times \frac{38}{100} \qquad ②$$

식 ②의 양변을 100으로 곱하고, 식 ①을 대입하여 정리하면 다음과 같다.

$A = 200\ \mathrm{kg/hr}$

두 변수 A와 P는 두 개의 식으로 구할 수 있다.

물질수지식을 완성하였다고 해서 모든 문제가 다 풀리는 것은 아니다.

예제 13.2

시간당 44%의 NaOH수용액 A kg(F^1)과 y%의 NaOH수용액 150 kg(F^2)이 혼합탱크로 유입되고, 이 혼합탱크는 정상상태를 유지한다. 유출흐름(P) 내 NaOH의 농도는 38%일 경우, F^1의 유입량 A와 F^2의 NaOH 농도 y를 구하시오.

Solution

Step 1: 공정을 그리고 주어진 값 표기하기

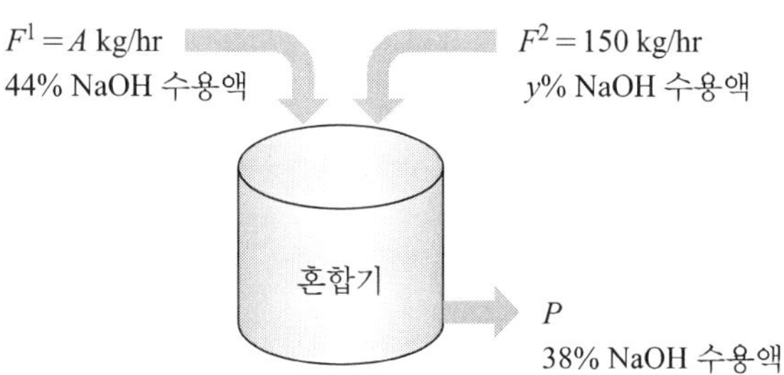

Step 2: 가정하기

한 시간 공정으로 가정하여, 한 시간 동안 혼합기로 유입·유출되는 양을 사용한다.

Step 3: 물질수지 세우기

이 문제는 미지수가 A, y 및 P로 세 개이고, 따라서 방정식이 세 개가 필요하다.

- 총괄물질수지식 :

$$P = A + 150 \quad ①$$

- 성분물질수지식 :

F^1 NaOH질량 + F^2 NaOH질량 = P NaOH질량

성분 NaOH 수지식 : $A \times \dfrac{44}{100} + 150 \times \dfrac{y}{100} = P \times \dfrac{38}{100}$ ②

성분 H_2O 수지식 : $A \times \dfrac{56}{100} + 150 \times \dfrac{100-y}{100} = P \times \dfrac{62}{100}$ ③

식 ①을 식 ②와 식 ③에 대입하고, 양변에 100을 곱하여 정리해보면, 식 ②는 다음과 같고

$$44A + 150y = (A + 150) \times 38$$

$$44A - 38A + 150y = 150 \times 38$$

$$6A + 150y = 150 \times 38 \quad ④$$

식 ③은 다음과 같이 정리된다.

$$56A + 150 \times (100 - y) = 62A + 150 \times 62$$

$$56A - 62A - 150y = 150 \times (62 - 100)$$

$$-6A - 150y = -38 \times 150$$

$$6A + 150y = 38 \times 150 \quad ⑤$$

식 ④와 식 ⑤는 같은 식이 되었고, 이 식을 정리하면 다음과 같은 함수꼴이 된다.

$$A = \frac{38 \times 150 - 150y}{6}$$

y에 대한 A의 값은 무수히 많기 때문에 물리적인 해답으로 적합하지 않다.

식 ①~③은 겉보기에 각기 다른 3개의 식으로 보이지만, 실제로 식 ①은 식 ②와 식 ③의 합으로 만들어지므로, 셋 중 두 개만 독립된 식으로 인정된다.

결국, 미지수는 A, y 및 P로 세 개이지만, 독립된 식은 2개뿐이었군요.

참조 **식의 독립성**

다음 3개의 미지수에 세 개의 식이 있다. 이 세 식은 독립적인가?

$$x + 2y + z = 9 \quad ①$$

$$2x + y + z = 6 \quad ②$$

$$3x + 3y + 2z = 15 \quad ③$$

가만히 살펴보면 식 ③은 식 ①과 식 ②의 합으로 이루어진 식이다. 이 경우는 총 3개의 식이지만, 독립된 식은 2개로 이해해야 한다.

독립식이 아닌 식을 독립된 식으로 오인하여 사용한 경우의 결과를 살펴보자.

다음과 같이 성분 A, B, C가 섞이는 혼합기가 있다.

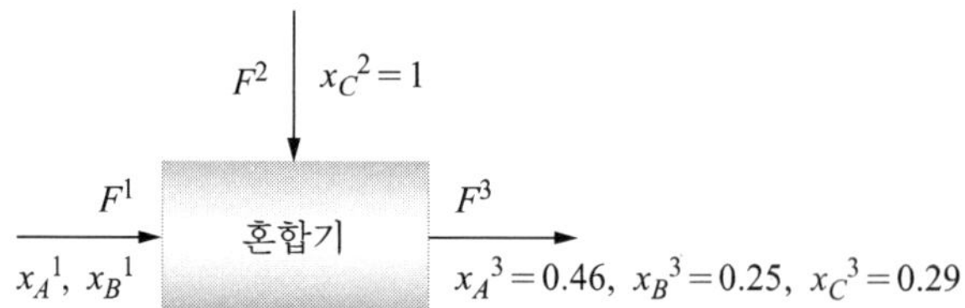

미지수 : F^1, F^2, F^3, x_A^1, x_B^1 → 5개

식 : 성분에 의한 물질수지식 → 3개

총괄물질수지식 $F^1+F^2=F^3$ ← 독립식이 아니다.

관계식 $x_A^1+x_B^1=1$ → 1개

미지수가 5개, 식의 수가 5개로 보이는 이 문제를 식을 세워서 풀어보자.

미지수 F^1, F^2, F^3, x_A, x_B

성분수지식 (유입량)=(유출량)

$$\text{성분 A} : x_A \times F^1 = 0.46F^3 \tag{13.1}$$

$$\text{성분 B} : x_B \times F^1 = 0.25F^3 \tag{13.2}$$

$$\text{성분 C} : 1.0 \times F^2 = 0.29F^3 \tag{13.3}$$

$$F^1+F^2 = F^3 \tag{13.4}$$

$$x_A+x_B = 1 \tag{13.5}$$

식 (13.4)에서

$$F^2 - F^3 - F^1 \tag{13.6}$$

식 (13.6)을 식 (13.3)에 대입하면

$$F^3 - F^1 = 0.29F^3$$

$$F^1 = 0.71F^3 \tag{13.7}$$

식 (13.7)을 식 (13.1)에 대입하면

$$x_A \times 0.71F^3 = 0.46F^3$$

$$x_A = \frac{0.46}{0.71} = 0.6479 \tag{13.8}$$

식 (13.5)를

$$x_B = 1 - x_A = 1 - 0.6479 = 0.3521 \tag{13.9}$$

식 (13.9)를 식 (13.2)에 대입하면

$$0.3521F^1 = 0.25F^3$$

식 (13.9)를 식 (13.4)에 대입하면

$$F^2 = F^3 - F^1 = F^3 - 0.71F^3 = 0.29F^3$$

$$F^2 = 0.29F^3 \tag{13.10}$$

식 (13.1)~(13.5)를 사용하여 얻은 값은 다음과 같다.

$$x_A = 0.4679$$

$$x_B = 0.3521$$

$$0.3521F^1 = 0.25F^3$$

$$F^1 = 0.71F^3$$

$$F^2 = 0.29F^3$$

x_A와 x_B는 값을 얻었지만, F^1과 F^2와 F^3는 값을 얻지 못하고 F^1과 F^2와 F^3 사이의 비의 관계식만 얻어졌다. 즉 유입과 유출 사이의 비만 알 수 있는 것이다. 그 이유를 살펴보자.

식 (13.4)는 성분수지식의 합 (13.1)+(13.2)+(13.3)으로 독립된 식이 아니기 때문이다. 실제로 이 문제는 미지수 5개와 식 4개로 구성된 식 1개가 부족한 문제였다.

F^1과 F^2와 F^3 사이의 관계식으로부터 벗어나서 그 값을 알려면 어떻게 하나요?

셋 중 하나의 값을 임의로 정해야 한다. 예를 들면 F^1을 100으로 두면 F^2와 F^3가 결정되어 각각 140.8551과 485.6728이 된다.

자유도 결과가 1인 경우 미지수 중의 하나를 임의로 정하는 이유이군요.

2. 자유도 해석

예제 13.2처럼 식을 세워도 답을 얻지 못하는 경우를 경험하였다. 앞으로 접하게 될 공정들은 변수의 수가 많아지고, 식의 수(방정식 포함)도 증가해 복잡해짐에 따라 해를 구하는 과정도 더 많은 노력을 기울여야 한다. 그 많은 노력을 하는 도중에 문제를 풀어내는 과정에서 정보(미지수값, 식)가 부족하다는 사실만을 확인한 경우도 왕왕 있다. 이렇게 식을 세우고 계산을 시도하고 결국 해가 나오지 않는다면 우리는 다시 미지수를 설정하고 식을 재검토해야 한다. 따라서 식을 세우고 계산을 시작하기 전에 우리가 정한 미지수의 수는 적절한가? 그에 따른 식의 수가 적합한가? 식들 중에 중복되지는 않는지를 계산 전에 미리 확인하여, 부족한 방정식을 추가하거나 변수를 줄여나가는 과정을 선행하게 되면 다시 시작하는 불필요한 작업들을 미리 줄여 나갈 수 있다.

미지변수들의 값을 구하기 위하여 방정식을 풀기 전에, 미지수의 수에 맞는 방정식의 수를 확보하고 있는지를 미리 검토해야 하네요?

공정의 미지수들을 정의하고 식들을 찾아내어, 미지수와 방정식의 수가 같을 때 적절한 해를 구할 수 있다.

미지변수의 수 = 식의 수

좌변을 우변으로 정리하면 다음과 같이 두 수의 차이는 0이 되어야 한다.

미지변수의 수 − 식의 수 = 0

그 차이를 자유도 N_D(number of degree of freedom)라 하고 다음과 같이 정의한다.

자유도 : $N_D = N_U - N_E$

여기서, 미지변수의 개수를 N_U(number of unknown various)라 하고, 이 문제에서 사용될 수 있는 독립식의 개수를 N_E(number of equations)라 한다. 공정상에 N_U가 4이고 N_E가 3일 경우 자유도(N_D)가 1이 된다면, 우리는 변수의 수를 한 개 줄이거나 방정식이나 관련 식들을 한 개 추가해야 한다는 의미가 된다. 또한 반대로 자유도가 −1이 되었다면 방정식이 불필요하게 너무 많다는 의미가 되거나 아니면 변수의 하나 모자란다는 뜻이 된다. 이들을 적절히 맞추어서 자유도가 0이 된 후 해를 찾아 나간다.

물론 여기 정해진 식들은 모두 독립적인 식이어야 한다. 이러한 자유도를 먼저 확인함으로써 복잡한 계산을 헛되이 할 오류를 사전에 미리 예방할 수 있다.

공정의 변수들을 정의하고 물질수지식을 세우고, 이 물질수지식을 푼다는 것은 이 변수들 중 미지변수들을 찾는 일이다. 그러면 얼마나 많은 미지변수가 존재하고 몇 개의 방정식을 만들어낼 수 있는가는 문제는 풀 수 있는 것인지 아닌지를 결정짓게 된다. 그래서 자유도를 확인하는 것은 헛된 계산을 할 오류를 미리 차단할 수 있다.

따라서 예제 13.2의 경우, 미지수가 3개이고 독립된 식은 2이므로

$$N_D = N_U - N_E = 3 - 2 = 1$$

자유도는 1이다. 따라서, 관련 식을 하나 추가하거나 미지수를 줄일 수 있는 정보가 추가된다면 자유도는 0이 되어 문제의 해를 구할 수 있다.

예제 13.3

Q&A

시간당 44%의 NaOH수용액 A kg(F^1)과 y%의 NaOH수용액 150 kg(F^2)이 혼합탱크로 유입되고, 이 혼합탱크는 정상상태를 유지한다. 유출흐름(P) 내 NaOH의 농도는 38%일 경우, F^1의 유입량 A와 F^2의 NaOH 농도 y를 구하시오. (조건 추가 : F^1의 농도는 F^2의 2.5배에 해당한다.)

Solution

Step 1: 공정을 그리고 주어진 값 표기하기

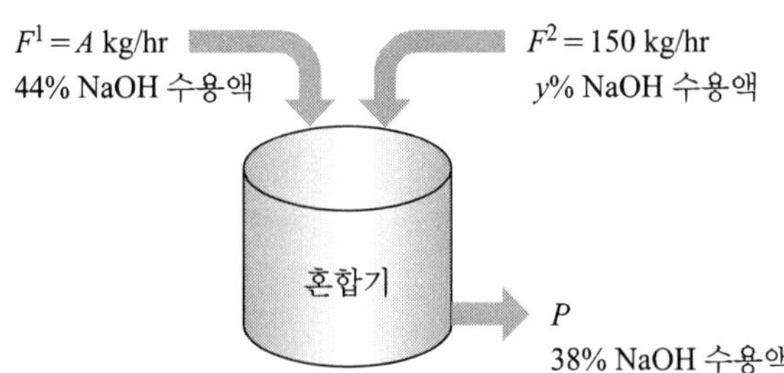

Step 2: 자유도 확인

이 문제는 미지수가 A, y 및 P로 세 개($N_U = 3$)이고, 식은 물질수지식 2개와 추가 조건에 의한 식 1개로 총 3개의 식($N_E = 3$)을 얻는다.

자유도 $N_D = N_U - N_E = 3 - 3 = 0$

Step 3: 식 만들기

- 총괄물질수지식 :

$P = A + 150$ ①

- 성분물질수지식 :

F^1 NaOH질량 + F^2 NaOH질량 = P NaOH질량

성분 NaOH 수지식 : $A \times \frac{44}{100} + 150 \times \frac{y}{100} = P \times \frac{38}{100}$ ②

조건식 : $44 = y \times 1.25$ ③

식 ①과 식 ③을 식 ②에 대입하고, 양변에 100을 곱하여 정리해보면,

$44A + 150 \times \frac{44}{1.25} = (A + 150) \times 38$

$(44 - 38) \times A = 150 \times \left(38 - \frac{44}{1.25}\right)$

$6A = 150 \times 2.8$

$A = 70$

$P = 70 + 150 = 220$

$y = 35.2\%$

3. 물질수지 문제의 일반적인 해법

Lesson 12의 3절에서 배운 물질수지 풀이과정을 다시 살펴보자.

첫째 : 공정을 그리고, 주어진 값들을 공정에 표기한다.
둘째 : 물질의 양을 가정하거나, 숨겨진 물질의 양을 계산한다.
셋째 : 물질수지식을 세우고, 그것을 풀어서 해를 구한다.

이러한 풀이과정을 보다 세밀하게 나누어 보자.

단계 1 : 문제를 이해한 후 계의 범위를 결정하고 네모로 간단하게 그린다.
단계 2 : 문제에 제시된 유량, 물질, 조성 및 반응 조건을 공정도에 표기하기
단계 3 : 계산기준을 선택하고, 문제풀이에 필요한 값을 구하기
단계 4 : 자유도를 결정하기
단계 5 : 식을 세우고 문제를 풀기
단계 6 : 결과를 검산한다.

위의 모든 단계는 필요하지 않으면 생략한다.

위 풀이 과정을 적용하여 예제 13.4를 풀어보자.

예제 13.4 연속증류공정에 대한 물질수지식

질량으로 50%의 벤젠을 함유하고 있는 벤젠(B)과 톨루엔(T)의 혼합물을 시간당 1000 kg을 증류하여 두 혼합물을 분리해낸다. 증류수 상부흐름에서 벤젠의 질량유속은 450 kg B/hr이면 하부흐름에서 톨루엔의 유속은 400 kg T/hr로 유출된다. 정상상태에서 운전될 때 유출흐름 속의 나머지 미지성분의 유량을 계산하여라.

Solution

Step 1~2: 공정을 그리고 주어진 값 표기하기

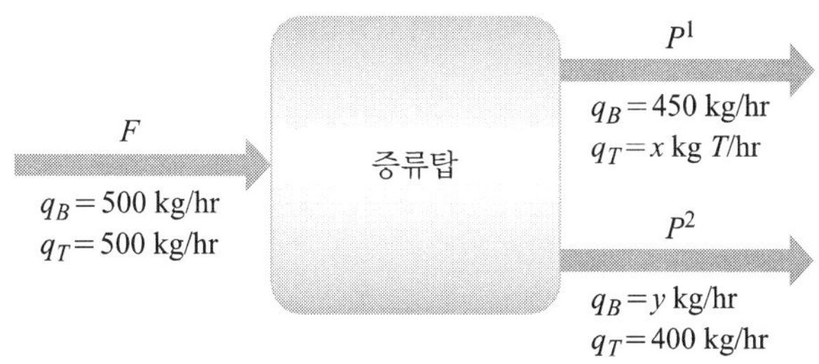

Step 4: 자유도 계산하기

미지변수와 식의 수를 확인하고 자유도를 확인한다.

미지수 : x, y → $N_U = 2$개

성분수지식 : 벤젠, 톨루엔 → $N_E = 2$개

자유도 : $N_D = N_U - N_E = 2 - 2 = 0$

이 문제를 풀 수 있다.

Step 5: 식 세우고 식 풀기

이 공정은 정상상태이므로 (유입량)=(유출량)이 된다.

성분 물질수지식 :

벤젠 : 500 kg = 450 kg + y

톨루엔 : 500 kg = x + 400 kg

x = 100 kg, y = 50 kg

Step 6: 검산하기

시간당 유출 총질량 = P^1의 총질량 + P^2의 총질량

= (450 kg + y) + (x + 400 kg)

↓ x = 50 kg

y = 100 kg

= 1000 kg

= 유입량

즉, 유출량($P^1 + P^2$) = 유입량(F)

Lesson 14

화학반응식의 환산인자

이 장에서 환산인자를 이용하여 화학반응식의 각 성분의 양을 계산하는 방법에 대해 이야기해 보자.

1. 화학반응식

화학양론(stoichiometry)이란 한 화학종이 다른 화학종과 반응시, 그들의 몰수의 비에 관한 이론이다. 화학반응식은 화학양론방정식(stoichiometric equation)이라고도 하고, 화학반응 중 소모되는 화학종은 '반응물'이라 하고 화살표의 왼쪽에 표기하고, 제조되는 화학종은 '생성물'이라 하고 화살표 오른쪽에 표기한다.

화학반응식 : 반응물 → 생성물

펜테인의 산화반응을 예로 살펴보자.

화학반응식 : $C_5H_{12}(l) + 8O_2(g) \rightarrow 5CO_2(g) + 6H_2O(g)$

또한, 화학종 앞의 숫자를 화학양론계수(stoichiometric coefficient)라 하고 반응에 참여하는 이들 화학종의 상대적인 몰비율 또는 분자비율을 나타낸다.

즉, 위 화학반응식은 다음 정보를 제공한다.

- ▶ 좌항의 C_5H_{12}와 O_2는 소모되는 반응물이고, 우항의 CO_2와 H_2O는 제조되는 생성물이다.
- ▶ C_5H_{12} 1 mol이 반응하여 사라질 때 8 mol의 O_2를 소모하고, 5 mol의 CO_2와 6 mol의 H_2O를 생성시킨다.

다음은 화학반응식의 정보를 사용하는 방법에 대하여 연습하자. 앞서 단위변환과 유사하게 '1 mol의 C_5H_{12}가 반응하여 사라진다는 것은 6 mol의 H_2O가 생성된다.'는 물리적인 의미를 다음과 같이 표현하자.

$$-1 \text{ mol } C_5H_{12} = 6 \text{ mol } H_2O$$

그리고 양변을 6 mol H_2O로 나누어 만들어진 다음 분수식을 단위환산인자로 사용할 수 있다.

$$\frac{-1 \text{ mol } C_5H_{12}}{6 \text{ mol } H_2O} = 1$$

예제 14.1

Q&A

100 g의 C_5H_{12}이 O_2와 완전히 반응할 때 생성되는 수증기의 양(g)을 계산하시오.

Solution

$$-100 \text{ g } C_5H_{12} \left| \frac{1 \text{ mol } C_5H_{12}}{72 \text{ g } C_5H_{12}} \right| \frac{6 \text{ mol } H_2O}{-1 \text{ mol } C_5H_{12}} \left| \frac{18 \text{ g } H_2O}{1 \text{ mol } H_2O} \right| = 150 \text{ g } H_2O$$

따라서, 100 g의 C_5H_{12}가 완전연소 시 150 g H_2O가 생성된다.

화학반응식의 정보를 다음 표로 구성해보자.

Box 1

반응 초기에 5 mol의 C_5H_{12}과 10 mol 산소가 존재하였고, 반응 후 4 mol의 CO_2가 존재하였다면 반응 후 나머지 분자들은 얼마가 있을까?

$$C_5H_{12}(l) + 8O_2(g) \rightarrow 5CO_2(g) + 6H_2O(g)$$

Step 1: 문제에 주어진 성분과 각 성분의 양을 표기하기

우선 문제에서 반응 초기에는 펜테인 5 mol과 산소 10 mol이 존재하고, 이산화탄소와 수증기는 존재하지 않으므로 다음 표의 초기량은 다음과 같이 기재한다.

성분	C_5H_{12}	O_2	CO_2	H_2O
초기량	5	10	0	0
반응량				
최종량			4	

Step 2: 반응량을 계산하기

초기에 CO_2가 존재하지 않았으므로, 반응 후 남은 CO_2 4 mol은 모두 반응으로 생성된 것이다. CO_2 4 mol에 대한 각 성분의 환산인자를 사용하여 소모된 펜테인과 산소의 양과 생성된 수증기의 양을 계산하여 표의 반응량란에 기재하자.

$$4\ \text{mol CO}_2 \left| \frac{-1\ \text{mol C}_5\text{H}_{12}}{5\ \text{mol CO}_2} \right| = -0.8\ \text{mol C}_5\text{H}_{12}$$

$$4\ \text{mol CO}_2 \left| \frac{-8\ \text{mol O}_2}{5\ \text{mol CO}_2} \right| = -6.4\ \text{mol O}_2$$

$$4\ \text{mol CO}_2 \left| \frac{6\ \text{mol H}_2\text{O}}{5\ \text{mol CO}_2} \right| = 4.8\ \text{mol H}_2\text{O}$$

성분	C_5H_{12}	O_2	CO_2	H_2O
초기량	5	10	0	0
반응량	−0.8	−6.4	4	4.8
최종량			4	

Step 3: 최종량을 계산하기

초기량과 반응량을 합하여 최종량을 계산한다.

성분	C_5H_{12}	O_2	CO_2	H_2O
초기량	5	10	0	0
반응량	−0.8	−6.4	4	4.8
최종량	4.2	3.6	4	4.8

Lesson 2 단위환산과정에서 배운 환산인자를 화학반응량을 계산하는데 응용할 수도 있군요.

2. 화학반응식의 일반화

다음 각 성분들의 반응량 계산과정도 표에 함께 넣어 보자.

다음 펜테인의 연소반응에서 펜테인 1몰이 반응할 경우, 화학양론계수의 비로 펜테인 1몰과 산소 8몰이 소모되고, 이산화탄소와 수증기는 각각 5몰과 6몰이 생성된다.

$$\begin{array}{ccccccc} C_5H_{12}(l) & + & 8O_2(g) & \rightarrow & 5CO_2(g) & + & 6H_2O(g) \\ -1\text{ mol} & & -8\text{ mol} & & +5\text{ mol} & & +6\text{ mol} \end{array}$$

$$\begin{aligned} \Delta n &= \Delta n_{C_5H_{12}} + \Delta n_{O_2} + \Delta n_{CO_2} + \Delta n_{H_2O} \\ &= -1-8+5+6 = 2\text{ mol} \end{aligned}$$

따라서 각 성분의 몰수 변화를 모두 더하면 총 성분들의 몰수 변화량은 2몰이 된다.

앞의 반응량 계산에서 화학성분이 생성되면 양수를, 소멸이 되면 음수를 사용하였다. 화학양론계수의 부호를 부여하자.

화학반응식을 일반적으로 다음과 같이 표현한다.

$$a\text{A} + b\text{B} \rightarrow c\text{C} + d\text{D}$$

여기서, 화학종 A, B, C, D의 화학양론계수는 a, b, c, d이다. 이 계수들을 일반화하자.

A성분이 a몰 반응한 경우 총 성분의 몰수 변화량은 각 성분의 화학양론계수로 다음과 같이 표현된다.

$$\Delta n = \Delta n_A + \Delta n_B + \Delta n_C + \Delta n_D = -a-b+c+d$$

반응물의 양론계수는 음수로, 생성물의 양론계수는 양수로 표현되는 화학양론계수들을 다음과 같이 ν_i로 일반화할 수 있다.

$$\nu_A = -a, \qquad \nu_B = -b, \qquad \nu_C = c, \qquad \nu_D = d$$

$$\Delta n = -a-b+c+d = \nu_A + \nu_B + \nu_C + \nu_D = \sum \nu_i$$

$$\Delta n = \sum \Delta n_i = \sum \nu_i$$

화학양론계수 ν_i는 그리스문자로 '뉴(nu)'라 읽는다.

펜테인의 산화반응식

$$C_5H_{12}(l) + 8O_2(g) \rightarrow 5CO_2(g) + 6H_2O(g)$$

각 성분의 화학양론계수는 다음과 같다.

$$\nu_{C_5H_{12}} = -1, \quad \nu_{O_2} = -8, \quad \nu_{CO_2} = 5, \quad \nu_{H_2O} = 6$$

앞 절의 Box 1 문제를 일반화된 양론계수 ν_i를 이용하여 다음 표를 구성할 수 있다.

화학반응식 : $C_5H_{12}(l) + 8O_2(g) \rightarrow 5CO_2(g) + 6H_2O(g)$

Step 1: 문제에 주어진 성분, 양론계수 및 주어진 양을 표기하기

반응식에서 완성된 양론계수를 포함하여 문제에 주어진 성분과 그 양을 표에 정리하여 넣기.

	C_5H_{12}	O_2	CO_2	H_2O
양론계수	−1	−8	5	6
초기량	5	10	0	0
반응량				
최종량=초기량+반응량			4	

Step 2: 반응량을 계산하기

초기에 존재하지 않던 CO_2가 최종량에 4 mol이 존재한다면 이 4 mol은 모두 반응에 의해 생성된 양이 된다. 이 문제에서 반응한 양을 알 수 있는 CO_2의 반응량을 가지고 다른 성분의 반응량을 CO_2와 다른 성분의 양론계수들의 비로 간단히 계산할 수 있다.

	C_5H_{12}	O_2	CO_2	H_2O
양론계수	−1	−8	5	6
초기량	5	10	0	0
반응량	(−1/5)×4	(−8/5)×4	4	(6/5)×4
최종량=초기량+반응량			4	

Step 3: 최종량을 계산하기

초기량과 반응량을 합하여 최종량을 계산한다.

	C_5H_{12}	O_2	CO_2	H_2O
양론계수	−1	−8	5	6
초기량	5	10	0	0
반응량	(−1/5)×4	(−8/5)×4	4	(6/5)×4
최종량=초기량+반응량	4.2	3.6	4	4.8

요렇게 표를 이용해서 계산 결과값을 모으니 어렵게만 보여졌던 과정이 좀 편하게 느껴지네요.

예제 14.2

Q&A

초기 펜테인 10 mol이 산소 60 mol과 함께 화학반응기에 공급되고 펜테인의 최종량은 3 mol이 남았다면 다른 성분들의 최종량은 얼마인가?

Solution

Step 1: 문제에 주어진 성분, 양론계수 및 주어진 양을 표기하기

	C_5H_{12}	O_2	CO_2	H_2O
양론계수	−1	−8	5	6
초기량	10	60	0	0
반응량				
최종량＝초기량＋반응량	3			

Step 2: 반응량을 계산하기

문제에서 C_5H_{12}의 최종량이 3 mol이었다면 반응량은 초기량에 최종량을 뺀 것으로 7 mol이 소멸된 것이다. 다른 성분의 반응량은 C_5H_{12}와 다른 성분의 양론계수들의 비로 간단히 계산할 수 있다.

	C_5H_{12}	O_2	CO_2	H_2O
양론계수	−1	−8	5	6
초기량	10	60	0	0
반응량	−7	(−8/−1)×(−7)	(5/−1)×(−7)	(6/−1)×(−7)
최종량＝초기량＋반응량	3			

Step 3: 최종량을 계산하기

초기량과 반응량을 합하여 최종량을 계산한다.

	C_5H_{12}	O_2	CO_2	H_2O
양론계수	−1	−8	5	6
초기량	10	60	0	0
반응량	−7	−56	35	42
최종량＝초기량＋반응량	3	14	35	42

Lesson 15

반응 있는 물질수지와 반응진행도

이 장에서는 화학물질이 반응에 의해 생성 또는 소멸되는 성분들의 양을 물질수지식에 넣어 보자.

Lesson 10에서 인구증감에 대한 다음 두 식을 얻었다.

인구증감 = 최종인구 − 최초인구

인구증감 = 유입인구 − 유출인구

■ 우리 마을에 작년 새로운 제철회사가 가동되면서 4월에 20,000명이 인구 유입이 있었고, 그 해 가을에 자동차회사의 구조조정과 납품업체의 도산으로 각각 5,000명과 10,000명이 우리 마을을 떠났다. <u>또한 작년 한 해 동안 200명이 태어났고, 사망한 사람이 150명이 되었다.</u>

우리 마을의 인구증감의 원인은 유입인구와 유출인구뿐만 아니라 태어난 인구와 사망인구도 포함된다. 따라서 인구증감식에 오른쪽 끝 두 항을 첨가한다.

인구증감 = 유입인구 − 유출인구 + 태어난 인구 − 사망인구
= 20,000명 − (5,000명 + 10,000명) + 200명 − 150명
= 5,500명

따라서, 우리 마을은 5,500명의 인구가 증가했다.

마을의 인구증감의 원인이 태어난 인구와 사망인구가 포함되는 것처럼, 화학공정에서도 화학종의 생성과 소멸이 존재한다. 이 장에서는 화학종에 대한 물질수지식을 살펴본다. 이들은 화학반응을 통하여 일어난다.

1. 반응을 포함하는 물질수지

물질의 총질량은 생성되거나 소멸되지 않는다는 질량보존의 법칙을 따른다. 하지만, 개별적 화학종의 경우는 앞의 인구증가와 유사하게, 화학반응기 내에서 새롭게 생성되거나 소멸되어 사라진다.

■ 메테인과 산소를 원료로 하여 메탄올을 생성하는 반응기가 있다.

$$CH_4 + 1/2\, O_2 \rightarrow CH_3OH$$

메테인과 산소가 이 반응기로 공급되고 반응기에서 생성된 메탄올은 미반응물로 남은 메테인과 산소와 함께 반응기로부터 유출된다. 이 공정 내에는 메테인과 산소는 소멸되고 메탄올이 생성된다.

새로운 메탄올이 만들어진다는 것은 질량보존의 법칙을 성립하지 않는다는 뜻인가요?

생성과 소멸로 인하여 각각의 화학종의 질량이 변화할 수 있지만, 모든 화학종의 합인 전체 질량은 여전히 보존되므로, 질량보존의 법칙은 성립한단다.

아~, 개별적인 양과 총량은 구분해야겠네요.

이제 공정 내에 총질량이 아니고, 개별적인 화학종에 대한 물질수지식을 살펴보자.

각 화학종에 대한 물질수지식은 앞의 인구증가와 유사하게 화학종의 '생성량'과 '소멸량' 항을 포함한다.

$$축적량 = +유입량 + 생성량 - 유출량 - 소멸량 \tag{15.1}$$

공정을 기준으로 '유입량'처럼 '생성량'도 공정에 보태어진다는 의미에서 '+'인 부호를 가지고, '유출량'과 '소멸량'은 공정에서 사라지므로 '−' 부호를 가지네요.

이 공정이 정상상태에서 운전된다면 축적량=0이므로, 식 (15.1)은 다음과 같다.

$$유입량 + 생성량 = 유출량 + 소멸량 \tag{15.2}$$

정상상태에서 유입량과 생성량의 합은 유출되고 소멸되는 양의 합과 같다는 의미네요.

또 간단하게 유출량을 기준으로 다음과 같이 나타낸다.

$$유출량 = 유입량 + 생성량 - 소멸량$$

생성량과 소멸량을 하나로 묶어서 반응량으로 표현하면 다음과 같다.

$$유출량 = 유입량 + 반응량$$

반응량이 생성되는 화학종의 양이라면 양수로, 소멸이 되는 화학종의 반응량은 음수가 되겠군요.

정상상태의 물질수지식에 익숙해지자.

유출량 = 유입량 + 반응량

■ 유입속도로 표현하면

축적속도 = 유입속도 + 생성속도 − 유출속도 소멸속도

= 유입속도 − 유출속도 + 반응속도

반응량에 대하여 생각하자.

공정 내에서 펜테인의 산화반응이 일어난다.

화학반응식 : $C_5H_{12}(l) + 8O_2(g) \rightarrow 5CO_2(g) + 6H_2O(g)$

시간당 펜테인 1 mol, 이산화탄소 2 mol 및 산소 10 mol과 함께 유입되는 화학반응기에서 이산화탄소가 시간당 4 mol이 생성된다면 유출되는 이산화탄소의 양은 얼마인가?

Lesson 14에서 배운 다음 표를 사용하여 계산할 수 있다.

단위 : 몰수(mol/hr)

	C_5H_{12}	O_2	CO_2	H_2O
화학양론계수 ν_i	−1	−8	5	6
유입량	1	10	2	0
반응량	(−1/5)×4	(−8/5)×4	4	(6/5)×4
유출량 = 유입량 + 반응량	0.2	3.6	6	4.8

이 공정이 정상상태에서 운전된다면, 각 성분의 물질수지식은 다음과 같다.

유출량 = 유입량 + 반응량

$$\text{펜테인의 유출량} = 1\ \text{mol}\ C_5H_{12} + 4\ \text{mol}\ CO_2 \left| \frac{-1\ \text{mol}\ C_5H_{12}}{5\ \text{mol}\ CO_2} \right| = 0.2\ \text{mol}\ C_5H_{12}$$

$$\text{산소의 유출량} = 10\ \text{mol}\ O_2 + 4\ \text{mol}\ CO_2 \left| \frac{-8\ \text{mol}\ O_2}{5\ \text{mol}\ CO_2} \right| = 3.6\ \text{mol}\ O_2$$

$$\text{수증기의 유출량} = 0\text{ mol } H_2O + 4\text{ mol } CO_2 \left|\frac{6\text{ mol } H_2O}{5\text{ mol } CO_2}\right| = 4.8\text{ mol } H_2O$$

산소 성분을 기준으로 물질수지식을 살펴보자.

$$O_2\text{의 유출량} = O_2\text{의 유입량} + CO_2\text{의 반응량} \times \frac{O_2\text{의 화학양론계수}}{CO_2\text{의 화학양론계수}}$$

각 성분의 유출량의 식을 살펴서 공통적인 특징을 뽑아내면 다음과 같이 일반화시키면 다음과 같다.

$$\text{성분 } i\text{의 유출량} = \text{성분 } i\text{의 유입량} + \text{성분 } j\text{의 반응량} \times \frac{\text{성분 } i\text{의 화학양론계수}}{\text{성분 } j\text{의 화학양론계수}}$$

$$\text{성분 } i\text{의 유출량} = \text{성분 } i\text{의 유입량} + \text{성분 } j\text{의 반응량} \times \frac{\nu_i}{\nu_j}$$

$$n_i^{out} = n_i^{in} + \nu_i \times \frac{\text{성분 } j \text{ 반응량}}{\nu_j} \tag{15.3}$$

다음 물질수지식에서 반응량은 다음과 같다. 물론 정상상태 공정이다.

$$n_i^{out} - n_i^{in} = \nu_i \times \frac{\text{성분 } j \text{ 반응량}}{\nu_j}$$

유출량 − 유입량 = 반응량이므로 우항은 성분 i의 반응량이 된다.

위 식의 $\frac{\text{성분 } j \text{ 반응량}}{\nu_j}$항에 대하여 다음 2절 반응진행도에서 알아보자.

2. 반응진행도

Lesson 14에서 화학반응식의 반응물의 소멸량과 생성물의 생성량과의 양적관계를 이해했다. 이 장에서는 반응이 얼마나 진행되었는지의 척도로 반응진행도를 학습하고 물질수지식에 적용한다.

황화수소와 이산화황의 화학반응이 있다. 황화수소 10 mol과 이산화황 5 mol이 반응하여 수증기 9 mol이 생성되었다고 하자.

$$2H_2S + SO_2 \rightarrow 3SO + 2H_2O$$

다음 표를 완성해 나가자. 첫 번째 줄에는 반응 화학성분을 쓰고, 두 번째 줄에는 양론계수를 쓰고, 세 번째와 네 번째 줄에는 위 문제에서 제공하는 화학성분들의 몰수를 채우자.

	H_2S	SO_2	SO	H_2O
양론계수 ν_i	−2	−1	3	2
초기량 n_i^0	10	5	0	0
변화량 $n_i - n_i^0$				9

우리는 환산인자를 사용하여 황화수소와 이산화황의 반응량을 계산해보자.

$$H_2O\text{의 생성량} = 9\ \text{mol}\ H_2O$$

$$H_2S\text{의 반응량} = 9\ \text{mol}\ H_2O \left| \frac{-2\ \text{mol}\ H_2S}{2\ \text{mol}\ H_2O} \right| = -9\ \text{mol}\ H_2S$$

$$SO_2\text{의 반응량} = 9\ \text{mol}\ H_2O \left| \frac{-1\ \text{mol}\ SO_2}{2\ \text{mol}\ H_2O} \right| = -4.5\ \text{mol}\ SO_2$$

$$SO\text{의 생성량} = 9\ \text{mol}\ H_2O \left| \frac{3\ \text{mol}\ SO}{2\ \text{mol}\ H_2O} \right| = 13.5\ \text{mol}\ SO$$

	H_2S	SO_2	SO	H_2O
양론계수 ν_i	−2	−1	3	2
초기량 n_i^0	10	5	0	0
변화량 $n_i - n_i^0$	−9	−4.5	13.5	9

위에서 계산된 화학종이 반응한 양의 값들은 제각각 다르다. 그래서 전체적인 반응이 얼마나 진행되었는지를 표현하기 위해서 어떤 화학종을 기준으로 표현해야 할지 모호해진다. 우리는 전체반응의 정도를 표현할 통일된 값이 필요하다. 따라서 반응이 진행된 정도의 값을 성분과 관계없이 통일시키기 위하여, 각 물질의 반응량을 양론계수로 나누어보자.

$$\frac{H_2O\text{의 생성량}}{H_2O\text{의 양론계수}} = \frac{9\text{ mol } H_2O}{2} = 4.5\text{ mol}$$

$$\frac{H_2S\text{의 반응량}}{H_2S\text{의 양론계수}} = \frac{9\text{ mol } H_2S}{2} = 4.5\text{ mol}$$

$$\frac{SO_2\text{의 반응량}}{SO_2\text{의 양론계수}} = \frac{4.5\text{ mol } SO_2}{1} = 4.5\text{ mol}$$

$$\frac{SO\text{의 생성량}}{SO\text{의 양론계수}} = \frac{13.5\text{ mol } SO}{3} = 4.5\text{ mol}$$

각 성분의 변화량을 해당 양론계수로 나누어보니, 모두 동일한 '4.5'의 값이 되었다. 이 통일된 값은 이 반응 전체의 '진행정도'를 표현하기 매우 유용할 것 같다. 이제 우리는 어떤 성분을 사용하든 간에 반응진행정도를 동일한 값으로 표현할 수 있게 되었다.

	H_2S	SO_2	SO	H_2O
양론계수 ν_i	−2	−1	+3	+2
초기량 n_i^0	10	5	0	0
반응량 $n_i^f - n_i^0$	−9	−4.5	13.5	9
반응진행도 $(n_i^f - n_i^0)/\nu_i$	4.5	4.5	4.5	4.5

따라서, 각 성분의 변화량을 해당 양론계수로 나눈 것을 반응진행도 ξ라 정의하면 그 일반식은 다음과 같이 정의한다.

$$\xi = \frac{n_i^f - n_i^0}{\nu_i} \tag{15.4}$$

여기서, n_i^0 : 화학종 i의 초기 몰수(mol)

n_i^f : 화학종 i의 최종 몰수(mol)

ν_i : 화학종 i의 양론계수(mol/mol reaction)

따라서, 반응진행도 ξ의 단위는 mol reaction이다. (Basic Principles and Calculations in Chemical Engineering by David M. Himmelblau and James B. Riggs)

반응진행도 ξ는 그리스문자로 '자이'라 읽는다.

이제는 반응진행도를 이용하여 각 성분들의 반응량/생성량을 구하는 방법을 배워보자. 앞에서 반응량에 양론계수를 나누어서 반응진행도를 정의하였으므로, 역으로 반응진행도에 양론계수를 곱한 것($\xi\nu_i$)은 그 성분의 변화량(반응량 또는 생성량)이 된다는 것을 알 수 있다.

$$\nu_i\xi = n_i^f - n_i^0 \tag{15.5}$$

그래서 반응진행도를 이용하여 황화수소의 반응량과 산화황의 생성량은 다음과 같다.

$$\nu_{H_2S}\xi = (-2)\times 4.5 = -9\ \text{mol}$$

$$\nu_{SO}\xi = 3\times 4.5 = 13.5\ \text{mol}$$

이 값은 앞에서 환산인자로 구한 반응량과 동일하지만, 반응진행도가 주어진 경우 이 방법이 편리할 것이다. 또한 이제 부호를 살펴보자. 황화수소의 변화량의 부호 $-$는 소멸을 의미하고, 산화황의 부호 $+$는 생성을 의미한다.

식 (15.5)를 정리하면 다음과 같다.

$$n_i^f = n_i^0 + \nu_i\xi \tag{15.6}$$

이 관계식 (15.6)의 우항에서 초기량(n_i^0)에 변화량($\nu_i\xi$)을 더하면 좌항의 최종량(n_i^f)이 된다.

$$n_{H_2S}^f = n_{H_2S}^0 + \nu_{H_2S}\xi = 10 - 9 = 1\ \text{mol}$$

$$n_{SO}^f = n_{SO}^0 + \nu_{SO}\xi = 0 + 13.5 = 13.5\ \text{mol}$$

여기서, $\nu_i\xi$항은 성분 i의 반응량(변화량)이 됨을 명심하라.

	H_2S	SO_2	SO	H_2O
양론계수 ν_i	-2	-1	$+3$	$+2$
초기량 n_i^0	10	5	0	0
변화량 $n_i^f - n_i^0$	-9	-4.5	13.5	9
반응진행도 $(n_i^f - n_i^0)/\nu_i$	4.5	4.5	4.5	4.5

이 관계식 (15.6)은 앞의 정상상태의 물질수지식의 식 (15.3)에서 이미 유도된 식과 동일한 의미를 가지며, 매우 유용하게 사용된다.

$$n_i^{out} = n_i^{in} + \nu_i \times \frac{\text{성분 } j \text{ 반응량}}{\nu_j} \tag{15.3}$$

예제 15.1

다음 화학반응은 펜테인의 산화반응이다.

화학반응식 : $C_5H_{12}(l)$ + $8O_2(g)$ → $5CO_2(g)$ + $6H_2O(g)$

위 반응이 일어나는 반응기에서 초기량이 10 mol인 C_5H_{12}가 80 mol의 산소와 연소반응 후 3 mol이 남았다. 위 화학반응식의 반응진행도가 4 mol reaction이고, CO_2의 초기량이 5 mol였다면 CO_2의 생성량과 최종량을 계산하시오.

$$\begin{aligned} n_{\mathrm{CO_2}}^f &= n_{\mathrm{CO_2}}^0 + \nu_{\mathrm{CO_2}}\xi \\ &= 5\text{ mol} + 5 \times 4 = 25\text{ mol} \end{aligned}$$

따라서, 생성량 $\nu_{\mathrm{CO_2}}\xi$은 20 mol이고 초기량은 5 mol이므로 최종량은 25 mol이 된다.

■ 한편 식 (15.6)은 다음 물질수지식이 된다.

$$n_{\mathrm{CO_2}}^f = n_{\mathrm{CO_2}}^0 + \nu_{\mathrm{CO_2}}\xi$$

유출량 = 유입량 ± 생성량/소멸량

$\nu_{\mathrm{CO_2}}\xi$ 항의 양론계수($\nu_{\mathrm{CO_2}}$)가 생성되면 +값을 가지고, 소멸되면 −값을 가지게 된다. 즉, 화학반응식 왼쪽 항들은 소멸을 의미하므로 음의 부호를, 오른쪽 항들은 생성을 의미하므로 양의 부호를 가지도록 하였다.

Lesson 16

비가역반응과 가역반응

화학반응이 진행되는 방향성에 대하여 알아보자.

1. 비가역반응

화학반응 중에서 한 화학물질(반응물)이 화학반응을 일으켜 다른 화학물질(생성물)로 전환하고, 생성물이 다시 초기 반응물로 되돌아가지 않는 반응이 있다. 이러한 화학반응은 반응진행방향이 역행하지 않는다는 뜻에서 비가역적(irreversible)이라 한다. 화학반응이 반응물에서 생성물쪽으로만 이동하므로 화학반응의 진행방향을 화살표를 사용하여 다음과 같이 나타낸다.

$$\text{반응물} \rightarrow \text{생성물}$$

$$a\text{A} + b\text{B} \rightarrow c\text{C} + d\text{D}$$

이러한 비가역적인 화학반응에 의해 초기 반응물의 농도는 결국 0에 접근한다. 반응속도가 아주 빠른 비가역적 반응은 반응물의 농도가 신속히 0이 되어서 그 반응이 종료되지만, 속도가 너무 느린 경우는 반응물의 농도가 0이 될 때까지 너무 오랜 시간이 걸릴 수도 있다. 이런 경우 반응물이 0이 될 때까지 기다리기보다, 비록 반응물이 아직 남아 있더라도 적절한 시간에 반응을 종료시키는 것이 보다 경제적일 수도 있다. 반응 종료 시점에서 반응이 어느 정도 진행되었는지 알아보면, 이 시점의 반응물들과 생성물들의 최종 잔류량을 알 수 있다.

산화반응은 대표적인 비가역반응의 한 예이다.

예제 16.1

다음 프로판 연소반응에서 초기에 C_3H_8 10 kmol이 산소 50 kmol과 함께 공급되어서 수증기 12 kmol이 생성되었을 때 프로판의 최종량을 구하시오.

화학반응식 : $C_3H_8(g) + 5O_2(g) \rightarrow 3CO_2(g) + 4H_2O(g)$

[방법 1] 반응표 이용

반응표를 완성하여 프로판의 최종량을 알아보자.

	C_3H_8	O_2	CO_2	H_2O
양론계수 ν_i	-1	-5	3	4
초기량 n_i^0	10	50	0	0
반응량 $\nu_i \xi$	-3	-15	9	12
최종량 n_i	7	35	9	12

[방법 2] 반응진행도 이용

문제에서 주어진 수증기량을 기준으로 반응진행도를 계산해보면 다음과 같다.

$$\xi = \frac{n_{H_2O}^f - n_{H_2O}^0}{\nu_{H_2O}} = \frac{12-0}{4} = 3\,\text{kmol reaction}$$

다음 프로판의 반응량은 다음과 같고,

$$\nu_{C_3H_8}\xi = (-1)\times 3 = -3\,\text{kmol } C_3H_8$$

결국 프로판의 최종량은 다음과 같다.

$$n_{C_3H_8}^f = n_{C_3H_8}^0 + \nu_{C_3H_8}\xi = 10 - 3 = 7\,\text{kmol } C_3H_8$$

[방법 1]과 [방법 2]에서 모두 프로판의 최종량은 7 kmol이다.

예제 16.2

예제 16.1에서 화학반응식의 반응진행도가 4 mol이고 CO_2의 초기량이 5 mol인 경우, CO_2의 생성량과 최종량을 계산하시오.

Solution

$$\text{최종량} = \text{초기량} + \text{반응량}$$

$$n^f_{CO_2} = n^0_{CO_2} + \nu_{CO_2}\xi = 5 + 3 \times 4 = 17 \text{ mol } CO_2$$

따라서, 생성량 $\nu_{CO_2}\xi$은 12 mol이고 최종량은 17 mol이 된다.

2. 가역반응

반응물이 반응하여 생성물을 형성하고, 형성된 생성물은 다시 반응물로 되돌아가는 양방향의 반응을 가역적(reversible)이라고 한다. 이러한 가역적 반응은 반응물과 생성물 사이에 양방향 화살표를 사용한다.

$$\text{반응물} \rightleftarrows \text{생성물}$$

$$aA + bB \rightleftarrows cC + dD$$

반응물의 농도와 생성물의 농도가 반응 초기에는 비교적 빨리 변화하다가 점차 느려져서 더 이상 시간이 지나도 농도변화가 없고 반응물과 생성물 사이에 일정한 농도 비율로 균형을 이루게 되는데, 이러한 반응상태를 화학평형상태라 한다. 화학평형상태에서 반응물과 생성물의 남은 농도 비율을 이용하여 화학평형상수(K, equilibrium constant)를 정의한다. 화학평형상수의 한 예를 다음과 같이 표현한다.

$$K = \frac{n_C^e n_D^e}{n_A^e n_B^e} \tag{16.1}$$

위 식의 위첨자 e는 평형(equilibrium)의 약자를 의미한다. 이러한 평형상태는 반응온도에 따라 남은 반응물과 생성물의 농도는 다르므로, 평형상수는 온도의 함수이다.

가역반응의 반응물은 오랜 시간이 지나도 완전히 사라지지 않는군요.

예제 16.3

다음 수증기 기체반응에서 CO와 H_2O가 각각 10 mol과 14 mol이 공급되었고, 어떤 온도 T에서 평형상태에 도달하였을 때, CO_2 6 mol이 생성되었다. 화학평형상수 K는 식 (16.1)과 같이 정의될 때, 평형상수 K를 구하시오.

$$CO + H_2O \rightleftarrows CO_2 + H_2$$

n_i^e는 평형상태(equilibrium)를 유지할 때의 i 성분의 농도

[방법 1] 반응표 이용

반응표를 사용하여 성분들의 반응량을 계산한 후 그 최종몰수를 구한다.

	CO	H_2O	CO_2	H_2
초기몰수 n_i^0	10	14	0	0
반응몰수 $\nu_i\xi$	−6	−6	6	6
최종몰수 n_i^f	4	8	6	6

성분의 최종몰수는 평형상태의 몰수가 되므로 $n_i^f = n_i^e$가 된다.

$$K = \frac{n_{CO_2}^e n_{H_2}^e}{n_{CO}^e n_{H_2O}^e} = \frac{6\times 6}{4\times 8} = 1.125$$

[방법 2] 반응진행도 이용

CO 기준으로 반응진행도를 계산해보면 다음과 같고,

$$\xi = \frac{n_{CO_2}^f - n_{CO_2}^0}{\nu_{CO_2}} = \frac{6-0}{1} = 6 \text{ kmol reaction}$$

각 성분의 최종량(평형몰수)은 다음과 같다.

$$n_{CO}^f = n_{CO}^0 + \nu_{CO}\xi = 10 + (-1)\times 6 = 4 \text{ mol CO}$$

$$n_{H_2O}^f = n_{H_2O}^0 + \nu_{H_2O}\xi = 14 + (-1)\times 6 = 8 \text{ mol H}_2\text{O}$$

$$n_{CO_2}^f = n_{CO_2}^0 + \nu_{CO_2}\xi = 0 + (1)\times 6 = 6 \text{ mol CO}_2$$

$$n_{H_2}^f = n_{H_2}^0 + \nu_{H_2}\xi = 0 + (1)\times 6 = 6 \text{ mol H}_2$$

최종 평형상태에서 각 성분들의 평형농도를 사용하여 평형상수를 구한다.

$$K = \frac{n_{CO_2}^e n_{H_2}^e}{n_{CO}^e n_{H_2O}^e} = \frac{6\times 6}{4\times 8} = 1.125$$

반응이 가역적인 반응이든 비가역적인 반응이든 상관없이 반응진행도를 사용할 수 있군요.

그렇지! 가역반응 문제 중 평형상수가 주어졌을 때의 성분의 몰수를 계산해 보렴.

예제 16.4

Q&A

예제 16.3의 수증기 기체반응에서 CO와 H_2O가 각각 1 mol과 2 mol이 공급되었고, 어떤 온도 T에서 평형상태에 도달하였다. 식 (16.1)과 같이 정의된 화학평형상수 $K=1.0$이 되었다. 이 때 반응진행도를 계산하고 각 성분의 최종량을 구하여라.

Solution

$n_i^f = n_i^0 + \nu_i \xi$을 사용하여 평형상태에서 각 성분의 최종몰수는 다음과 같다.

$$n_{CO}^e = 1 + (-1)\xi = 1 - \xi$$

$$n_{H_2O}^e = 2 + (-1)\xi = 2 - \xi$$

$$n_{CO_2}^e = 0 + (1)\xi = \xi$$

$$n_{H_2}^e = 0 + (1)\xi = \xi$$

각 성분의 평형상태의 몰수를 평형상수식 (16.1)에 대입해보자.

$$K = \frac{n_{CO_2}^e n_{H_2}^e}{n_{CO}^e n_{H_2O}^e} \text{이므로,}$$

$$1.0 = \frac{\xi\xi}{(1-\xi)(2-\xi)}$$

위 식을 풀면

$$(1-\xi)(2-\xi) = \xi\xi$$

$$2 - 3\xi + \xi^2 = \xi^2$$

그 결과 $\xi = \dfrac{2}{3} = 0.6667$가 된다. 따라서 다른 성분의 최종 남은 양은 다음과 같다.

$$n_{CO}^{e} = 1 - \xi = 1 - \frac{2}{3} = \frac{1}{3} \text{ mol CO}$$

$$n_{H_2O}^{e} = 2 - \xi = 1\frac{2}{3} \text{ mol } H_2O$$

$$n_{CO_2}^{e} = 1 + \xi = 1\frac{2}{3} \text{ mol } CO_2$$

$$n_{H_2}^{e} = 1 + \xi = 1\frac{2}{3} \text{ mol } H_2$$

Lesson 17

한계반응물, 전화율 및 수율

공정에서 반응속도를 높이기 위하여 상대적으로 저렴한 반응물을 과잉으로 투입하게 된다. 그러면 이 반응정도를 결정짓는 것은 상대적으로 적게 투입한 반응물의 양이 된다.

1. 한계반응물과 과잉반응물

대부분의 화학공정에서 모든 반응물질이 완전히 반응하지 못한다. 반응속도는 반응물의 농도에 영향을 받기 때문에 저렴한 반응물을 과잉으로 투입하게 되면 상대적으로 비싼 반응물의 낭비를 줄일 수 있다. 이때 한 반응물이 과량으로 투입되더라도 다른 반응물이 소멸될 때까지만 반응이 진행되므로, 반응의 양을 결정짓는 반응물을 '한계반응물'이라 하고 그 외의 반응물들은 모두 '과잉반응물'이라 한다.

이제 한계반응물과 과잉반응물을 결정짓는 방법에 대하여 알아보자.

$$\text{화학반응식 : } C_5H_{12}(l) + 8O_2(g) \rightarrow 5CO_2(g) + 6H_2O(g)$$

위 반응에서 펜테인 5.5 mol과 산소 46 mol이 투입되었다면 이 반응을 결정짓는 한계반응물은 무엇인가?

이때 투입된 반응물이 모두 반응했다($n_i^f = 0$)는 가정 하에서 반응진행도의 최댓값을 사용한다. 즉 이를 최대반응진행도라 부른다.

$$\xi_{C_5H_{12}}^{max} = \frac{n_{C_5H_{12}}^f - n_{C_5H_{12}}^0}{\nu_{C_5H_{12}}} = \frac{0-5.5}{-1} = 5.5 \text{ mol}$$

$$\xi_{O_2}^{max} = \frac{n_{O_2}^f - n_{O_2}^0}{\nu_{O_2}} = \frac{0-46}{-8} = 5.75 \text{ mol}$$

펜테인의 최대반응진행도 5.5 mol이고 산소의 최대반응진행도는 5.75 mol이다. 이 반응에서 먼저 소멸되는 물질은 펜테인이 되고 산소가 더 남아 있더라도 더 이상 반응은 진행되지 않는다. 따라서, 반응량을 한정 짓는 물질은 펜테인이 된다. 따라서 한계 반응물은 최대반응진행도가 적은 펜테인이 되고 산소는 과잉으로 투입된 과잉반응물이 된다.

과잉반응물의 대표적인 예가 값싼 공기를 과잉으로 공정으로 도입하는 반응이다.

과잉공기퍼센트

연료의 연소반응에 필요한 산소를 공급하기 위하여 일반적인 저렴한 공기를 공급하게 되고, 반응속도를 높이기 위하여 이 공기를 과량으로 투입하게 된다. 이 때 과잉반응물은 저렴한 공기(산소)가 되고, 연료를 연소시키기 위한 화학양론비에 입각한 산소(공기)의 양을 이론산소량(이론공기량)이라 한다.

- ▶ **이론산소(공기)량** : 완전연소를 위해 필요한 산소(공기)의 이론량
- ▶ **과잉산소(공기)량** : 완전연소를 위해 필요한 산소(공기)의 이론량을 초과하는 산소량(공기량)

$$\text{과잉산소\%} = \frac{\text{공정에 도입된 산소량} - \text{이론산소량}}{\text{이론산소량}} \times 100 = \frac{\text{과잉산소량}}{\text{이론산소량}} \times 100$$

$$\text{과잉공기\%} = \frac{\text{공정에 도입된 공기량} - \text{이론공기량}}{\text{이론공기량}} \times 100 = \frac{\text{과잉공기량}}{\text{이론공기량}} \times 100$$

예제 17.1

20 kg의 프로판이 440 kg의 산소와 연소되었다면, 과잉산소는 몇 퍼센트인가?

$$\text{화학반응식 : } C_3H_8 + 5O_2 \rightarrow 3CO_2 + 4H_2O$$

이론산소량

$$20\text{ kg } C_3H_8 \left| \frac{1\text{ kgmol } C_3H_8}{44.09\text{ kg } C_3H_8} \right| \frac{5\text{ kgmol } O_2}{1\text{ kgmol } C_3H_8} \right| = 2.2681\text{ kgmol } O_2$$

공급된 산소량

$$440\text{ kg } O_2 \left| \frac{1\text{ kgmol } O_2}{32\text{ kg } O_2} \right| = 12.5\text{ kgmol } O_2$$

프로판 20 kg을 모두 연소시키기 위해 필요한 산소의 이론량은 2.2681 kgmol이지만 실제 공급된 산소량은 12.5 kgmol이다.

$$\text{과잉산소퍼센트} = \frac{\text{공급된 산소량} - \text{이론산소량}}{\text{공급된 산소량}}$$

$$= \frac{12.5 - 2.2681}{12.5} \times 100 = 81.8552\%$$

예제 17.2

예제 17.1에서 산소 대신에 440 kg의 공기가 공급되었다면 과잉공기는 몇 퍼센트인가?

Solution

이론산소량

$$20\text{ kg } C_3H_8 \left| \frac{1\text{ kgmol } C_3H_8}{44.09\text{ kg } C_3H_8} \right| \frac{5\text{ kgmol } O_2}{1\text{ kgmol } C_3H_8} \right| = 2.2681\text{ kgmol } O_2$$

이 반응에 필요한 이론산소량을 이론공기량으로 계산하자.

공기 1 kgmol 속에는 산소가 0.21 kgmol의 비율로 존재하므로,

$$2.2681 \text{ kgmol } O_2 \left| \frac{1 \text{ kgmol Air}}{0.21 \text{ kgmol } O_2} \right| = 10.8001 \text{ kgmol Air}$$

440 kg의 공기량을 kgmol수로 계산하면,

$$440 \text{ kg Air} \left| \frac{1 \text{ kgmol Air}}{29 \text{ kg Air}} \right| = 15.1724 \text{ kgmol Air}$$

따라서, 과잉공기퍼센트 $= \dfrac{\text{공급된 공기량} - \text{이론공기량}}{\text{공급된 공기량}}$

$$= \frac{15.1724 - 10.8001}{10.8001} \times 100 = 40.4839\%$$

참조 **보통 기체의 경우는 부피나 몰수로 표현한다.**

공기 중의 21%가 산소이므로, (공기량×0.21＝산소량이므로,)

$$\text{과잉공기\%} = \frac{\text{과잉공기량}}{\text{필요한 공기량}} \times 100$$

$$= \frac{\text{과잉공기량} \times 0.21}{\text{필요한 공기량} \times 0.21} \times 100$$

$$= \frac{\text{과잉산소량}}{\text{필요한 산소량}} \times 100 = \text{과잉산소량\%}$$

$$\text{과잉공기\%} = \text{과잉산소량\%}$$

즉 과잉공기%는 과잉산소%와 같다.

또한 기체가 질량수로 표현될 때

$$\text{과잉산소량\%} = \frac{\text{과잉산소량[kg]}}{\text{필요한 산소량[kg]}} \times 100$$

$$= \frac{\dfrac{\text{과잉산소량 [kg]}}{32 \text{ [kg/kgmol]}}}{\dfrac{\text{필요한 산소량 [kg]}}{32 \text{ [kg/kgmol]}}} \times 100$$

$$= \frac{\text{과잉산소량 [kgmol]}}{\text{필요한 산소량 [kgmol]}} \times 100$$

이 과잉량과 필요량의 단위가 모두 질량이든 몰수든 동일하다.

예제 17.2 산소량을 기준으로 과잉산소퍼센트를 계산하면,

이론산소량 : 2.2681 kgmol O_2

$$\text{공급산소량} : 440 \text{ kg Air} \left| \frac{1 \text{ kgmol Air}}{29 \text{ kg Air}} \right| \frac{0.21 \text{ kgmol } O_2}{1 \text{ kgmol Air}} \right| = 3.1862 \text{ kgmol } O_2$$

$$\text{과잉산소퍼센트} = \frac{\text{공급된 산소량} - \text{이론산소량}}{\text{공급된 산소량}}$$

$$= \frac{3.1862 - 2.2681}{2.2681} \times 100 = 40.4839\%$$

예제 17.2를 질량비로 과잉산소퍼센트를 계산한다면,

$$2.2681 \text{ kgmol } O_2 \left| \frac{32 \text{ kg } O_2}{1 \text{ kgmol } O_2} \right| = 72.57 \text{ kg } O_2$$

$$440 \text{ kg Air} \left| \frac{1 \text{ kgmol Air}}{29 \text{ kg Air}} \right| \frac{0.21 \text{ kgmol } O_2}{1 \text{ kgmol Air}} \left| \frac{32 \text{ kg } O_2}{1 \text{ kgmol } O_2} \right| = 101.9586 \text{ kgmol } O_2$$

$$\text{과잉산소퍼센트} = \frac{101.9586 - 72.57}{72.57 \text{ kg}} \times 100 = 40.4968\%$$

예제 17.2를 질량비로 과잉공기퍼센트를 계산한다면,

$$2.2681 \text{ kgmol } O_2 \left| \frac{1 \text{ kgmol Air}}{0.21 \text{ kgmol } O_2} \right| \frac{29 \text{ kg Air}}{1 \text{ kgmol Air}} \right| = 313.2138 \text{ kg Air}$$

$$\text{과잉공기퍼센트} = \frac{400 - 313.2138}{313.2138 \text{ kg}} \times 100 = 40.4791\%$$

따라서 공기퍼센트는 반드시 부피 및 몰수의 비를 의미한다. 질량비의 의미는 아니다.

	몰수		질량수	
	산소	공기	산소	공기
이론량	2.2681 kgmol O_2	10.8001 kgmol Air	72.57 kg O_2	313.2138 kg Air
공급량	3.1862 kgmol O_2	15.1724 kgmol Air	101.9586 kg O_2	400 kg Air
과잉퍼센트	40.4839%	40.4839%	40.4968%	40.4791%

2. 반응물의 전화율

앞 1절에서 언급한 바와 같이, 반응속도가 느린 비가역적 반응에서 반응물의 소멸시점까지 기다리거나, 가역적인 반응이 화학평형에 도달하는 시간이 너무 길어서 그 시점까지 기다리는 것은 경제적이지 못하다. 따라서 미반응물이 존재하더라도 반응을 종결하거나 재순환시키는 것이 보다 실용적이다. 그래서 반응기 설계 시 공정 중에 한계반응물이 어느 정도 전화되었을 때 종결 또는 순환시킬지를 결정하게 된다. 따라서 한계반응물의 전환된 정도를 나타내는 것을 '전화율(fractional conversion)'이라 하고, 이는 한계반응물의 반응된 양과 공급된 양의 비율로 정의된다. (Basic Principles and Calculations in Chemical Engineering by David M. Himmelblau and James B. Riggs)

$$\text{전화율}(f) = \frac{\text{반응된 한계반응물의 mol수}}{\text{공급된 한계반응물의 mol수}}$$

$$= \frac{n^f_{\text{한계반응물}} - n^0_{\text{한계반응물}}}{n^0_{\text{한계반응물}}} \qquad (17.1)$$

예제 17.3 Q&A

C_5H_{12}의 산화반응에서 한계반응물인 C_5H_{12}가 5.5 mol이 투입되고 반응 후 2.3 mol이 남았다. 이 때 C_5H_{12}의 전화율을 구하여라.

식 (17.1)에서

$$C_5H_{12}\text{의 전화율} = \frac{5.5 - 2.3}{5.5} = 0.5818$$

반응진행도와 전화율은 어떻게 다른가요?

둘 다 반응이 진행된 정도를 나타내는 척도이나, 반응진행도는 반응 몰수를 양론비로 나누어서 반응에 참여한 모든 성분의 수를 통일한 것이고, 전화율은 반응물 중에서도 반응량을 결정짓는 한계반응물을 기준으로 공급된 몰수와 반응한 몰수의 비이다.

반응진행도와 전화율의 관계를 살펴보자.

여기서 전화율과 앞에서 배운 반응진행도는 모두 반응이 얼마나 진행되었는지에 대한 지표가 된다. 전화율은 한계반응물을 기준으로 전화된 양을 정의한 것이고, 반응진행도는 성분들의 변화량을 통일한 값이다. 그럼 이제 한계반응물의 전화량과 반응진행도의 관계를 알아보자. 반응에 참여한 한계반응물의 최대반응진행도에 대한 전화율의 곱은 그 반응의 진행도가 된다.

$$\begin{aligned}\xi &= \xi^{\max}_{\text{한계반응물}} \times f \\ &= \frac{0 - n^0_{\text{한계반응물}}}{\nu_{\text{한계반응물}}} \times f = -\frac{n^0_{\text{한계반응물}}}{\nu_{\text{한계반응물}}} \times f \end{aligned} \tag{17.2}$$

$$f = \frac{\xi}{\xi^{\max}_{\text{한계반응물}}}$$

여기서, 최대반응진행도($\xi^{\max}$)는 $n^f_{\text{한계반응물}} = 0$일 때 반응진행도(ξ)이다.

3. 수율

반응진행도가 한계반응물을 기준으로 반응된 비로 해석한다면, 수율은 생성물을 기준으로 생성량의 비를 나타낸다. 하지만, 수율은 하나로 통일된 정의가 없고 다양하게 정의된다.

① 공급된 한계반응물의 양에 대한 생성물의 양의 비
② 소비된 한계반응물의 양에 대한 생성물의 양의 비
③ 공급된 한계반응물이 완전히 소모되었을 때 기대되는 생성물의 양에 대해 실제로 생성된 생성물의 양의 비

$$\text{수율} = \frac{\text{실제 생성된 생성물의 양}}{\text{생성물의 이론량}}$$

예제 17.4 ③번 적용

C_5H_{12}의 산화반응에서 한계반응물인 C_5H_{12}와 O_2가 각각 5.5 mol과 46 mol이 투입되고 CO_2가 15.5 mol만 얻을 수가 있었다면, 공급된 한계반응물이 완전히 소모되었을 때 기대되는 생성물의 양에 대해 CO_2의 수율을 구하라.

화학반응식 : $C_5H_{12}(l) + 8O_2(g) \rightarrow 5CO_2(g) + 6H_2O(g)$

Solution

공급된 한계반응물 C_5H_{12}이 완전히 소모되었을 때 기대되는 생성물의 양에 대해 실제로 생성된 생성물 CO_2의 양으로써 수율을 구한다.

$$CO_2\text{생성이론량} = 5.5\ \text{mol}\ C_5H_{12} \left| \frac{5\ \text{mol}\ CO_2}{1\ \text{mol}\ C_5H_{12}} \right| = 27.5\ \text{mol}\ CO_2$$

C_5H_{12} 5.5 mol이 완전 연소할 때 생성되는 CO_2의 이론양은 27.5 mol인 반면에 실제 생성된 CO_2는 15.5 mol이므로 수율은 다음과 같다.

$$\text{수율} = \frac{15.5\ \text{mol}\ CO_2}{27.5\ \text{mol}\ CO_2} = 0.5636$$

예제 17.5 ②번 적용

Q&A

C_5H_{12}의 산화반응에서 한계반응물인 C_5H_{12}와 O_2가 각각 5.5 mol과 46 mol이 투입되고 전화율이 0.6이다. 반응 후 각 성분의 이론량을 구하여라. 만약 CO_2가 15.5 mol만 얻을 수가 있었다면, 기대되는 생성물의 양에 대해 생성된 CO_2의 수율을 구하라.

화학반응식 : $C_5H_{12}(l) + 8O_2(g) \rightarrow 5CO_2(g) + 6H_2O(g)$

C_5H_{12}의 양과 생성된 CO_2의 양과 유출되는 총 mol수를 구하여라.

Solution

이 화학반응의 반응진행도는 식 (17.2)와 같다.

$$\xi = -\frac{n^0_{C_5H_{12}}}{\nu_i} f = -\frac{5.5}{-1} \times 0.6 = 3.3$$

생성된 CO_2 성분의 몰수는

$$n^f_{CO_2} = n^0_{CO_2} + \nu_{CO_2}\xi = 0 + 3.3 \times 5 = 16.5 \text{ mol } CO_2$$

전화율이 0.6이었을 때 기대되는 생성물의 양에 대해 실제로 생성된 생성물의 양으로써 수율을 구한다.

$$\text{수율} = \frac{15.5 \text{ mol } CO_2}{16.5 \text{ mol } CO_2} = 0.9394$$

수율과 전화율은 동일한 화학반응의 진행정도를 나타내는 거 같은데 왜 이렇게 달리 표현하나요?

전화율은 한계반응물이 기준인데 반하여, 수율은 생성물을 기준으로 반응정도를 살펴보는 것이란다.

Lesson 18

총괄유입유출속도와 복합다중반응

1. 총괄유입속도와 총괄유출속도

정상상태 연속공정에서 물질수지식은 다음과 같다.

유출량 = 유입량 − 유출량 ± 생성량 / 소멸량

유입과 유출되는 모든 화학종의 흐름을 합산하면 총괄 몰 유입속도와 총괄 몰 유출속도를 다음과 같이 표현할 수 있다.

$$F = \dot{N}^{in} = \sum_{i=1}^{S} \dot{n}_i^{in}$$

$$P = \dot{N}^{out} = \sum_{i=1}^{S} \dot{n}_i^{out}$$

여기서, 유량속도는 문자 위에 점을 찍는 것이 일반적이나, 표기가 너무 복잡하여 이하 내용에서 문자 위의 속도 표시 점을 생략한다.

예제 18.1

Δt 동안 열린계의 반응기에서 N_2 15 mol과 H_2 18 mol이 공급되고, Δt 동안 N_2 12 mol이 유출되었다. 정상상태에서 유출되는 성분들의 총량을 구하여라.

화학반응식 : $N_2 + 3H_2 \rightarrow 2NH_3$

	N_2	H_2	NH_3
Δt동안 공급량(n_i^{in}), mol	15	18	0
Δt동안 배출량(n_i^{out}), mol	12	9	6
변화량 $\xi\nu_i$	$3\times(-1)$	$3\times(-3)$	$3\times(2)$

반응진행도 $\xi = \dfrac{n_i^{out} - n_i^{in}}{\nu_i} = \dfrac{12-15}{-1} = 3\ \text{mol}$

$$n_{N_2}^{out} = n_{N_2}^{in} + \xi\nu_{N_2} = 15 + 3\times(-1) = 12\ \text{mol}\ N_2$$

$$n_{H_2}^{out} = n_{H_2}^{in} + \xi\nu_{H_2} = 18 + 3\times(-3) = 9\ \text{mol}\ H_2$$

$$n_{NH_3}^{out} = n_{NH_3}^{in} + \xi\nu_{NH_3} = 0 + 3\times(2) = 6\ \text{mol}\ NH_3$$

$$P = N^{out} = \sum_{i=1}^{S} n_i^{out} = 27\ \text{mol}$$

2. 복합반응(다중반응)을 포함하는 공정

보통은 한 공정 내에 둘 이상의 반응들이 복합적으로 진행된다. 예를 들면, 다음 화학반응들이 한 공정에서 이루어진다고 하자.

$$\text{반응 1 : } C + O_2 \xrightarrow{\xi_1} CO_2$$

$$\text{반응 2 : } C + \frac{1}{2}O_2 \xrightarrow{\xi_2} CO$$

$$\text{반응 3 : } CO + \frac{1}{2}O_2 \xrightarrow{\xi_3} CO_2$$

각 반응의 반응진행도를 각각 ξ_1, ξ_2, ξ_3이라 한다. 산소량을 기준으로 산소의 유출량은 산소 초기량에서 반응 1에 의한 소멸량, 반응 2에 의한 소멸량 및 반응 3에 의한 소멸량을 뺀 양이다.

O_2 :

$$\begin{aligned} n_{O_2}^{out} &= n_{O_2}^{in} + \xi_1 \nu_{O_2,1} + \xi_2 \nu_{O_2,2} + \xi_3 \nu_{O_2,3} \\ &= n_{O_2}^{in} + \xi_1 \times (-1) + \xi_2 \times \left(-\frac{1}{2}\right) + \xi_3 \times \left(-\frac{1}{2}\right) \end{aligned}$$

CO_2 :

$$\begin{aligned} n_{CO_2}^{out} &= n_{CO_2}^{in} + \xi_1 \nu_{CO_2,1} + \xi_2 \nu_{CO_2,2} + \xi_3 \nu_{CO_2,3} \\ &= n_{CO_2}^{in} + \xi_1 \times (1) + \xi_2 \times (0) + \xi_3 \times (1) \end{aligned}$$

CO :

$$\begin{aligned} n_{CO}^{out} &= n_{CO}^{in} + \xi_1 \nu_{CO,1} + \xi_2 \nu_{CO,2} + \xi_3 \nu_{CO,3} \\ &= n_{O_2}^{in} + \xi_1 \times (0) + \xi_2 \times (1) + \xi_3 \times (-1) \end{aligned}$$

화학종 i의 유출량은 다음과 같이 표현할 수 있다.

$$n_i^{out} = n_i^{in} + \xi_1 \nu_{i,1} + \xi_2 \nu_{i,2} + \xi_3 \nu_{i,3} = n_i^{in} + \sum_{j=1}^{R} \xi_j \nu_{i,j}$$

여기서, $\nu_{i,j}$: j번째 반응의 화학종 i의 양론계수

ξ_j : j번째 반응의 반응진행도

R · 독립적인 화학반응의 수

반응기를 나가는 모든 성분의 총 몰수 N은 반응기를 떠나는 각 성분 몰수의 합이다.

$$N = \sum_{i=1}^{S} n_i^{out} = \sum_{i=1}^{S} n_i^{in} + \sum_{i=1}^{S}\sum_{j=1}^{R} \xi_j \nu_{i,j}$$

여기서, S : 화학성분의 수

참조

축적량 = 유입량 - 유출량 + 생성량 - 소멸량

정상상태에서 축적량이 0이면

유출량 = 유입량 ± 생성량 / 소멸량

$$n_i^{out} = n_i^{in} + \sum_{j=1}^{R} \xi_j \nu_{i,j}$$

예제 18.2

Q&A

메탄올의 촉매산화반응을 통하여 포름알데하이드를 생산하는 공정이 있다. 불행하게도 생성된 포름알데하이드 일부가 산소와 반응하여 CO와 H_2O로 분해된다.

$$\text{반응 1 : } CH_3OH + \frac{1}{2}O_2 \rightarrow CH_2O + H_2O$$

$$\text{반응 2 : } CH_2O + \frac{1}{2}O_2 \rightarrow CO + H_2O$$

포름알데하이드를 경제적인 속도로 생산하기 위하여, 메탄올의 완전산화에 필요한 공기량을 두 배로 공급한다. 이 공정은 메탄올의 전화율이 90%로 운전되며, 공급된 메탄올에 대한 이론적인 포름알데하이드 양의 75%의 수율을 얻고자 한다. 반응기를 나가는 총 mol수를 구하라.

Solution

■ 계산기준 : 메탄올의 유입량($n_{CH_3OH}^{in}$) = 100 mol

■ 정보정리

- 소모되는 산소량을 계산하면

$$n_{O_2} = 100\ \text{mol CH}_3\text{OH}\left|\frac{1/2\ \text{mol O}_2}{1\ \text{mol CH}_3\text{OH}}\right| = 50\ \text{mol O}_2$$

산소 공급량이 필요한 이론량의 두 배이므로

$$n_{O_2}^{in} = 2 \times 50\ \text{mol} = 100\ \text{mol}$$

- 질소량을 계산하면

$$n_{N_2}^{in} = 100\ \text{mol O}_2\left|\frac{0.79\ \text{mol N}_2}{0.21\ \text{mol O}_2}\right| = 376.19\ \text{mol}$$

- 메탄올의 전화율 $f = 0.9$이므로

$$\xi_1 = -\frac{n_{CH_3OH}^{in}}{\nu_{CH_3OH}}f = -\frac{100}{-1} \times 0.9 = 90\ \text{mol reaction} \qquad ①$$

- 포름알데하이드의 수율이 75% (메탄올이 완전산화 시 얻을 수 있는 포름알데하이드에 대한 비)

$$\text{수율} = \frac{\text{생성된 포름알데하이드의 mol수}}{\text{한계반응물 완전산화 시 얻을 수 있는 포름알데하이드 mol수}}$$

$$\frac{n_{CH_2O}^{out}}{n_{CH_3OH}^{in}} \times 100 = 75$$

메탄올 유입량이 100 mol이므로

$$n_{CH_2O}^{out} = 75\ \text{mol} \qquad ②$$

정상상태에서 유출량 = 유입량 ± 생성량 / 소멸량이므로

$$n_i^{out} = n_i^{in} + \sum_{j=1}^{R} \xi_j \nu_{i,j}$$

반응 1과 반응 2를 거친 포름알데하이드의 유출량은

$$n_{CH_2O}^{out} = n_{CH_2O}^{in} + \xi_1 \nu_{CH_2O,1} + \xi_2 \nu_{CH_2O,2}$$

$$n_{CH_2O}^{out} = 0 + \xi_1 \times (1) + \xi_2 \times (-1)$$

$$n_{CH_2O}^{out} = \xi_1 - \xi_2 \qquad ③$$

①, ② 값을 ③에 대입하면

$$75 = 90 - \xi_2$$

$$\xi_2 = 15 \text{ mol}$$

배출가스의 총 몰수는 배출되는 성분들의 총합이다.

$$\begin{aligned} P = N^{out} &= \sum_{i=1}^{S} n_i^{out} \\ &= \sum_{i=1}^{S} n_i^{in} + \sum_{i=1}^{S}\sum_{j=1}^{R} \xi_j \nu_{i,j} \end{aligned}$$

$$\begin{aligned} P = N^{out} &= \sum_{i=1}^{S} n_i^{in} + \sum_{i=1}^{S} (\xi_1 \nu_{i,1} + \xi_2 \nu_{i,2}) \\ &= \sum_{i=1}^{S} n_i^{in} + \xi_1 \sum_{i=1}^{S} \nu_{i,1} + \xi_2 \sum_{i=1}^{S} \nu_{i,2} \end{aligned}$$

$$\begin{aligned} P = \ & 100 + 100 + 376 + 90 \times \left[(-1) + \left(-\frac{1}{2}\right) + (1) + (1)\right] \\ & + 15 \times \left[(-1) + \left(-\frac{1}{2}\right) + (1) + (1)\right] \\ = \ & 628 \text{ mol} \end{aligned}$$

예제 18.3

예제 18.2의 반응기를 떠나는 각 성분의 조성을 구하라.

반응기를 떠나는 각 성분의 몰수

$$n_{CH_3OH}^{out} = n_{CH_3OH}^{in} + \xi_1 \nu_{CH_3OH,1} + \xi_2 \nu_{CH_3OH,2}$$
$$= 100 + 90 \times (-1) + 15 \times (0) = 10 \text{ mol}$$

$$n_{CH_2O}^{out} = n_{CH_2O}^{in} + \xi_1 \nu_{CH_2O,1} + \xi_2 \nu_{CH_2O,2}$$
$$= 0 + 90 \times (1) + 15 \times (-1) = 75 \text{ mol}$$

$$n_{CO}^{out} = n_{CO}^{in} + \xi_1 \nu_{CO,1} + \xi_2 \nu_{CO,2}$$
$$= 0 + 90 \times (0) + 15 \times (1) = 15 \text{ mol}$$

$$n_{H_2O}^{out} = n_{H_2O}^{in} + \xi_1 \nu_{H_2O,1} + \xi_2 \nu_{H_2O,2}$$
$$= 0 + 90 \times (0) + 15 \times (1) = 15 \text{ mol}$$

$$n_{O_2}^{out} = n_{O_2}^{in} + \xi_1 \nu_{O_2,1} + \xi_2 \nu_{O_2,2}$$
$$= 100 + 90 \times \left(-\frac{1}{2}\right) + 15 \times \left(-\frac{1}{2}\right) = 47.5 \text{ mol}$$

$$n_{N_2}^{out} = n_{N_2}^{in} + \xi_1 \nu_{N_2,1} + \xi_2 \nu_{N_2,2}$$
$$= 376.19 + 90 \times (0) + 15 \times (0) = 376.19 \text{ mol}$$

각 성분의 조성은 $n_i^{out} = P \times y_i^{out}$ 이므로 $y_i^{out} = n_i^{out}/P$

$$y_{CH_3OH}^{2,out} = 10/628 \qquad y_{CH_2O}^{2,out} = 75/628$$

$$y_{CO}^{2,out} = 15/628 \qquad y_{H_2O}^{2,out} = 15/628$$

$$y_{O_2}^{2,out} = 17.5/628 \qquad y_{N_2}^{2,out} = 376.19/628$$

참조 **A : B 비에 대한 표현들을 고찰하자.**

초등교과과정에서 비를 다음과 같이 분수로 정의하고, 이를 비율이라 부른다.

$$A : B = \frac{A}{B}$$

한국어로 비의 3가지 표현법은 다음과 같다.

A와 B의 비
A의 B에 대한 비
B에 대한 A의 비

비율 A/B 영어의 대표적인 표현법을 살펴보면

A out of B

라고 하고, B로부터 뽑아낸 A라는 표현이지만, 영어는 중요한 단어를 먼저 언급하므로, 분자 A를 강조하는 반면 분모 B는 기준으로 삼았을 뿐이다.

한국어의 표현법 2, 3번째를 이해해 보자면 'A의 비'에 'B에 대한'이 삽입된 표현으로 볼 수 있다.

Lesson 19

복합다중반응에서 선택도

1. 선택도

화학공정은 목적 물질(C)을 생산할 목적으로 운전되더라도, 원치 않는 다른 물질들(E)이 생성될 수 있는 또 다른 반응이 일어날 수 있다. 이를 부반응(side reaction)이라 한다.

$$A + B \rightarrow C + D$$

$$A + D \rightarrow E$$

이 공정에서 생산되길 기대하는 물질은 주생성물(C)라 하며, 불필요한 물질을 부생성물(E)이라 한다. 따라서 주생성물을 효과적으로 얻기 위하여 부생성물을 최소한으로 생산되도록 신중하게 반응기를 설계하고 작업조건을 정해야 한다. 이렇게 불필요한 경쟁적인 부생성물(E)에 대해 주생성물(C)의 우세한 정도를 E에 대한 C의 '선택도'라 한다.

$$\text{선택도} = \frac{\text{주생성물의 mol수}}{\text{부생성물의 mol수}}$$

예제 19.1

Q&A

에테인 80 mol이 공급되어 다음 복합반응이 일어난다. 이 반응의 전화율이 0.6이고 에틸렌의 수율이 0.5이다. 생성물의 몰수를 계산하시오.

반응 1 : $C_2H_6 \rightarrow C_2H_4 + H_2$
반응 2 : $C_2H_6 + H_2 \rightarrow 2CH_4$

Solution

Step 1: 공정도 그리고 공정값 표기하기

$C_2H_6 = 80$ mol → 공 정 → C_2H_6, C_2H_4, CH_4, H_2

전화율 = 0.6 수율 = 0.5

Step 2: 문제에 제시된 정보를 사용하여 필요한 값 구하기

전화율이 0.6이면

$$n_{C_2H_6}^{out} = (1-0.6)n_{C_2H_6}^{in} = 0.4 \times 80 = 32 \text{ mol}$$

에테인이 완전히 전화되었을 때 얻을 수 있는 에틸렌의 mol수

$$80 \text{ mol } C_2H_6 \times \frac{1 \text{ mol } C_2H_4}{1 \text{ mol } C_2H_6} = 80 \text{ mol } C_2H_4$$

에틸렌 수율 0.5이면

$$\frac{n_{C_2H_4}^{out}(\text{생성량})}{n_{C_2H_4}^{out}(\text{이론량})} = \frac{\nu_{C_2H_4}\xi_1}{80 \text{ mol}} = \frac{\xi_1}{80 \text{ mol}} = 0.5$$

$$\xi_1 = 0.5 \times 80 = 40$$

Step 3: 자유도 확인

변수 : $n_{C_2H_6}^{in}$, $n_i^{out} \times 3$, ξ_1, ξ_2, F, P → 8개

기지변수 : $n_{C_2H_6}^{in}$, ξ_1 → 2개

관련식　　: $F = \sum n_i^{in}$, $P = \sum n_i^{out}$ → 2개

성분수지식 : 에테인, 에틸렌, 수소, 메테인 → 4개

$$N_D = N_U - N_E$$

$$\text{자유도} = \text{미지변수} - \text{식} = (8-2)-(2+4) = 0$$

Step 4: 식 세우기

$$n_{C_2H_6}^{out} = 80 + \xi_1(-1) + \xi_2(-1) = 80 - \xi_1 - \xi_2 = 32\text{ mol} \quad ①$$

$$n_{C_2H_4}^{out} = 0 + \xi_1(1) + \xi_2(0) = \xi_1 \quad ②$$

$$n_{H_2}^{out} = 0 + \xi_1(1) + \xi_2(-1) = \xi_1 - \xi_2 \quad ③$$

$$n_{CH_4}^{out} = 0 + \xi_1(0) + \xi_2(2) = 2\xi_2 \quad ④$$

Step 5: 식 풀기

①에서 $\xi_2 = 80 - \xi_1 - n_{C_2H_6}^{out} = 85 - 40 - 32 = 13\text{ mol}$

②에서 $n_{C_2H_4} = \xi_1 = 40\text{ mol } C_2H_4$

③에서 $n_{H_2} = \xi_1 - \xi_2 = 40 - 13 = 27\text{ mol } H_2$

④에서 $n_{CH_4} = 34\text{ mol } CH_4$

따라서 메탄에 대한 에틸렌의 선택도는 다음과 같다.

$$\frac{n_{C_2H_4}}{n_{CH_4}} = \frac{40\text{ mol } C_2H_4}{34\text{ mol } CH_4} = 1.18\text{ mol } C_2H_4/\text{mol } CH_4$$

예제 19.2 포도당 발효 회분식 반응기

10% 포도당 수용액 20 kmol(포도당 2 kmol)은 효소에 의해 발효되어 에탄올과 프로펜산($CH_2=CHCOOH$)으로 분해된다. 반응종료 후 CO_2는 2 kmol과 포도당 0.5 kmol이 남았다면 생산된 에탄올은 얼마인가? 또한 프로펜산에 대한 에탄올 선택도는 얼마인가? 또한 각 성분의 몰조성을 구하시오.

반응 1 : $C_6H_{12}O_6 \rightarrow 2C_2H_5OH + 2CO_2$

반응 2 : $C_6H_{12}O_6 \rightarrow 2CH_2=CHCOOH + 2H_2O$

Solution

Step 1: 공정도 그리고 필요한 공정값 계산하여 표기하기

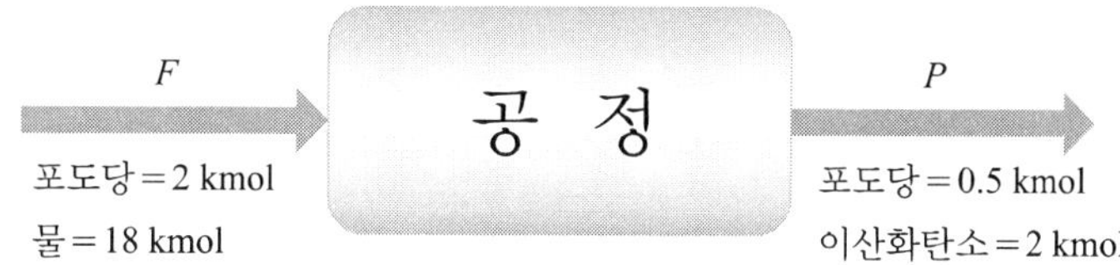

Step 2: 자유도 확인

변수 : $n_i^{in} \times 2,\ n_i^{out} \times 5,\ \xi_1,\ \xi_2,\ F,\ P$ → 11개

기지변수 : $n_i^{in} \times 2,\ n^{out}_{C_6H_{12}O_6},\ n^{out}_{CO_2}$ → 4개

관련식 : $F = \sum n_i^{in},\ P = \sum n_i^{out}$ → 2개

성분수지식 : 포도당, 물, 에탄올, 프로펜산, 이산화탄소 → 5개

$$\text{자유도} = \text{미지변수} - \text{식} = (11-4)-(2+5) = 0$$

Step 3: 물질수지식

$$n_i^{out} = n_i^{in} + \sum_{j=1}^{R} \xi_j \nu_{i,j}$$

$$n_i^{out} = n_i^{in} + \nu_{i,1}\xi_1 + \nu_{i,2}\xi_2$$

CO_2 : $n_{CO_2}^{out} = n_{CO_2}^{in} + \nu_{CO_2, 1}\xi_1 + \nu_{CO_2, 2}\xi_2$

$= 0 + 2\xi_1 + 0 = 2$ ①

$C_6H_{12}O_6$: $n_{C_6H_{12}O_6}^{out} = n_{C_6H_{12}O_6}^{in} + \nu_{C_6H_{12}O_6, 1}\xi_1 + \nu_{C_6H_{12}O_6, 2}\xi_2$

$= 2 + (-1)\xi_1 + (-1)\xi_2 = 0.5$ ②

C_2H_5OH : $n_{C_2H_5OH}^{out} = n_{C_2H_5OH}^{in} + \nu_{C_2H_5OH, 1}\xi_1 + \nu_{C_2H_5OH, 2}\xi_2$

$= 0 + 2\xi_1 + 0$ ③

$CH_2=CHCOOH$:

$n_{CH_2=CHCOOH}^{out}$

$= n_{CH_2=CHCOOH}^{in} + \nu_{CH_2=CHCOOH, 1}\xi_1 + \nu_{CH_2=CHCOOH, 2}\xi_2$

$= 0 + 0 + 2\xi_2$ ④

H_2O : $n_{H_2O}^{out} = n_{H_2O}^{in} + \nu_{H_2O, 1}\xi_1 + \nu_{H_2O, 2}\xi_2$

$= 18 + 0 + 2\xi_2$ ⑤

Step 4: 풀기

①에서 $\xi_1 = 1$

②에서 $\xi_2 = 0.5$

③에서 $n_{C_2H_5OH}^{out} = 2\text{ kmol } C_2H_5OH$

④에서 $n_{CH_2=CHCOOH}^{out} = 1\text{ kmol } CH_2=CHCOOH$

⑤에서 $n_{H_2O}^{out} = 19\text{ kmol } H_2O$

$$\text{선택도} = \frac{\text{주생성물의 mol수}}{\text{부생성물의 mol수}} = \frac{n_{C_2H_5OH}^{out}}{n_{CH_2=CHCOOH}^{out}}$$

$$= \frac{2\text{ kmol } C_2H_5OH}{1\text{ kmol } CH_2=CHCOOH}$$

$$= 2\text{ kmol } C_2H_5OH/\text{kmol } CH_2=CHCOOH$$

생성물의 총량은

$$P = \sum n_i^{out} = 2 + 0.5 + 2 + 1 + 19 = 24.5\text{ kmol}$$

생성물의 몰조성은 $y_i^{out} = n_i^{out}/P$

$$y_{C_6H_{12}O_6}^{out} = \frac{n_{C_6H_{12}O_6}^{out}}{P} = \frac{19}{24.5} = 0.7755$$

$$y_{CO_2}^{out} = \frac{n_{CO_2}^{out}}{P} = \frac{2}{24.5} = 0.0816$$

$$y_{C_2H_5OH}^{out} = \frac{n_{C_2H_5OH}^{out}}{P} = \frac{2}{24.5} = 0.0816$$

$$y_{C_2H_3COOH}^{out} = \frac{n_{C_2H_3COOH}^{out}}{P} = \frac{1}{24.5} = 0.0408$$

$$y_{H_2O}^{out} = \frac{n_{H_2O}^{out}}{P} = \frac{19}{24.5} = 0.7755$$

Lesson 20

공정의 순환

앞서 설명한 바와 같이 반응물의 농도가 0이 되는 것은 효율적이지 못하다. 반응이 적절한 정도에 도달하게 되면 생성물을 수거하게 된다. 이러한 생성물 속에는 미반응된 반응물이 일부 남게 되고 이를 재사용하고자 반응기로 되돌리게 되는데 이를 순환공정이라 한다.

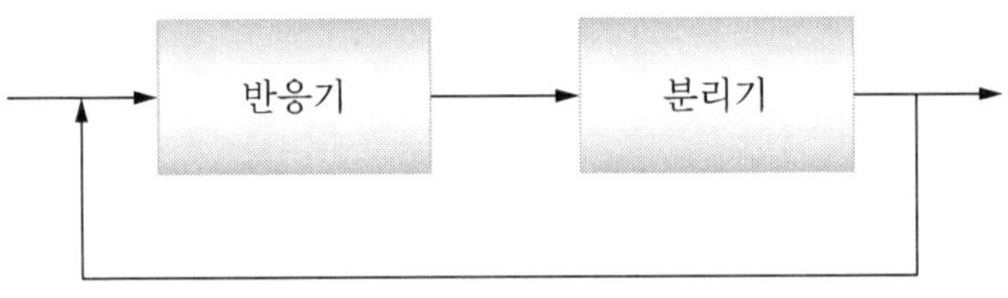

우회공정

생성물에 적절한 양의 반응물을 배합하여 출하하고자 할 때 공급되는 반응물의 일부를 반응기로 거치지 않고 반응종결물(P)과 합류시키는 공정을 우회공정이라 한다.

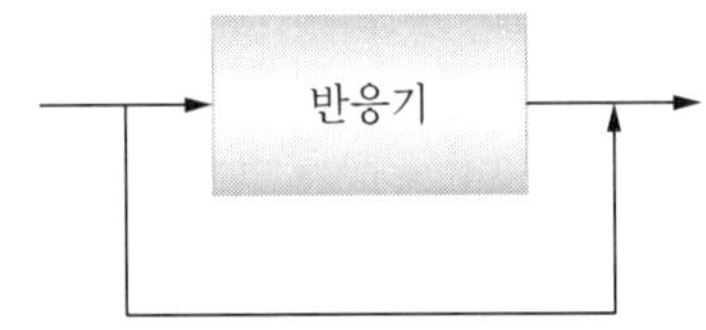

퍼지공정

생성물을 분리하여 그 일부를 반응기로 되돌리는 공정을 퍼지공정이라 한다.

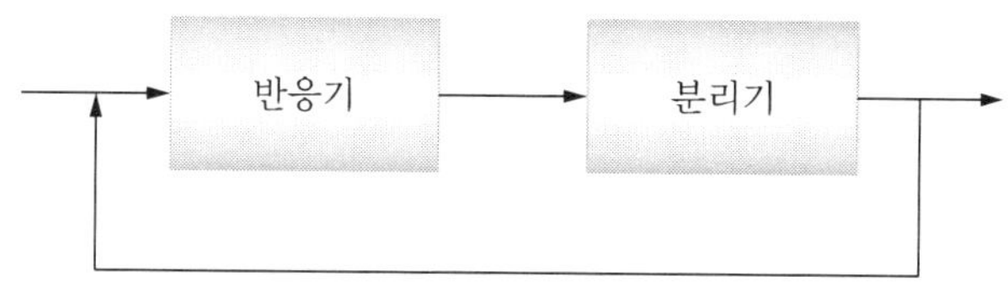

순환공정에 있어서 적용될 수 있는 두 가지 화학반응의 전화율에 대해 알아보자.

총괄전화율(overall conversion)

공정 입구와 공정 출구 사이에 반응물이 생성물로 전환된 총량을 공정 입구에서 공급된 반응물로 나눈 것을 총괄전화율이라 한다.

$$\frac{\text{공정에 공급된 반응물} - \text{공정으로부터 유출되는 반응물}}{\text{공정에 공급된 반응물}}$$

단일통과전화율(single-pass conversion)

예를 들면 반응기와 같은 단일 공정에 공급된 반응물의 변화량을 공급된 반응물의 전체량으로 나눈 것을 단일통과전화율이라 한다.

$$\frac{\text{반응기에 공급된 반응물} - \text{반응기로부터 유출되는 반응물}}{\text{반응기에 공급된 반응물}}$$

예제 20.1

Q&A

다음 공정에서 성분 A의 총괄전화율과 반응기의 단일통과전화율을 구하시오.

반응기 : $A \rightarrow B$

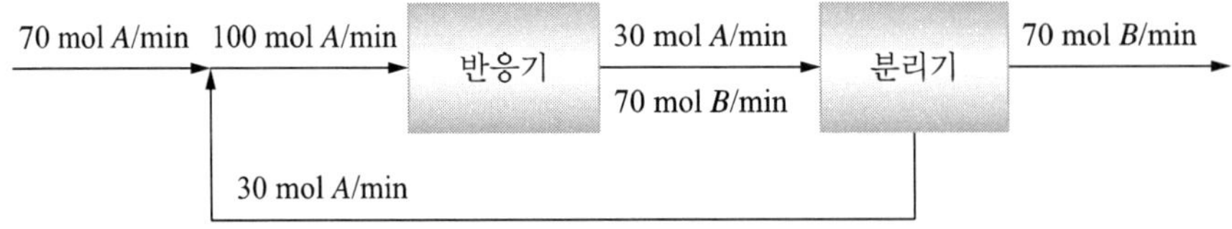

Solution

$$\text{총괄전화율} = \frac{70-0}{70} \times 100 = 100\%$$

$$\text{단일통과전화율} = \frac{100-30}{100} \times 100 = 70\%$$

Lesson 21

연소반응

이제부터는 연소반응과 같이 주제를 가진 문제를 다루어 보자.

이 장은 연소화학반응을 가지는 물질수지를 주제로 다루고자 한다. 이장에서 다루는 연소는 탄화수소물질의 산소와의 반응에 한정해서 설명하고자 한다. 탄화수소물질이 산소와 반응하면 이산화탄소와 수증기가 일반적으로 생성된다.

$$C_mH_{2n} + (m+n)O_2 \rightarrow mCO_2 + nH_2O$$

하지만, 불완전연소로 인하여 CO가 생성되기도 하고, 연료가 석유계라면 황과 질소 성분을 함유하여 NO_x, SO_x 등이 생성될 수도 있다.

연소와 관련된 용어들을 살펴보자.

- **연소기체** : 연소 중에 발생하는 모든 기체는 CO_2와 H_2O뿐만 아니라 CO, NO_x, SO_x 등이 포함될 수 있다. 수증기를 포함하므로 습기준이라고도 한다.
- **건기준** 또는 **Orsat분석** : 수증기를 제외한 연소과정에 나오는 모든 기체
- **완전연소** : CO_2, H_2O를 생성하는 연료의 완전연소
- **부분연소** : 탄소공급원으로부터 적어도 일부 CO를 생산하는 연소
- **이론공기(산소)** : 완전연소를 위해 공급되어야 하는 공기(산소)의 이론량
- **과잉공기(산소)** : 완전연소를 위해 공급되어야 하는 공기(산소)를 초과하는 양

$$과잉공기\% = \frac{공정에\ 도입된\ 공기량 - 필요한\ 공기량}{필요한\ 공기량} \times 100$$

$$= \frac{과잉공기량}{필요한\ 공기량} \times 100$$

과잉공기%는 과잉산소%와 같다. 공기량×0.21＝산소량이므로

$$과잉공기\% = \frac{과잉공기량}{필요한\ 공기량} \times 100$$

$$= \frac{과잉공기량 \times 0.21}{필요한\ 공기량 \times 0.21} \times 100$$

$$= \frac{과잉산소량}{필요한\ 산소량} \times 100 = 과잉산소\%$$

이 된다. 또한 이 과잉량과 필요량의 단위가 모두 질량이든 모두 mol수든 동일하다.

$$과잉산소\% = \frac{과잉산소량(kg)}{필요한\ 산소량(kg)} \times 100$$

$$= \frac{\dfrac{과잉산소량(kg)}{32\ kg/kgmol}}{\dfrac{필요한\ 산소량(kg)}{32\ kg/kgmol}} \times 100$$

$$= \frac{과잉산소량(kgmol)}{필요한\ 산소량(kgmol)} \times 100$$

예제 21.1

Q&A

20 kg의 프로판이 400 kg의 산소와 연소되어서 44 kg의 CO_2와 12 kg의 CO를 배출하였다. 과잉산소는 몇 퍼센트인가?

$$C_3H_8 + 5O_2 \rightarrow 3CO_2 + 4H_2O$$

필요한 산소의 양

$$20\ \text{kg}\ C_3H_8 \left| \frac{1\ \text{kgmol}\ C_3H_8}{44.09\ \text{kg}\ C_3H_8} \right| \frac{5\ \text{kgmol}\ O_2}{1\ \text{kgmol}\ C_3H_8} \right| = 2.2680\ \text{kgmol}\ O_2$$

공급된 산소의 양

$$400\ \text{kg}\ O_2 \left| \frac{1\ \text{kgmol}\ O_2}{32\ \text{kg}\ O_2} \right| = 12.5\ \text{kgmol}\ O_2$$

$$\text{과잉산소량} = \frac{\text{과잉산소량}}{\text{공급된 산소량}} = \frac{\text{공급된 산소량} - \text{이론산소량}}{\text{공급된 산소량}}$$

$$= \frac{12.5 - 2.2680}{12.5} \times 100 = 81.8560$$

예제 21.2

메테인을 산소로 연소시켜 이산화탄소와 물을 생성시킨다. 20% CH_4, 60% O_2 및 20%의 CO_2가 공급된다. 한계반응물의 90%가 전환된다. (1) 분자 수지 (2) 원자 수지 (3) 반응진행도를 이용하여 생성물 흐름의 조성을 계산하라.

화학반응식 : $CH_4 + 2O_2 \rightarrow CO_2 + 2H_2O$

Step 1: 공정도

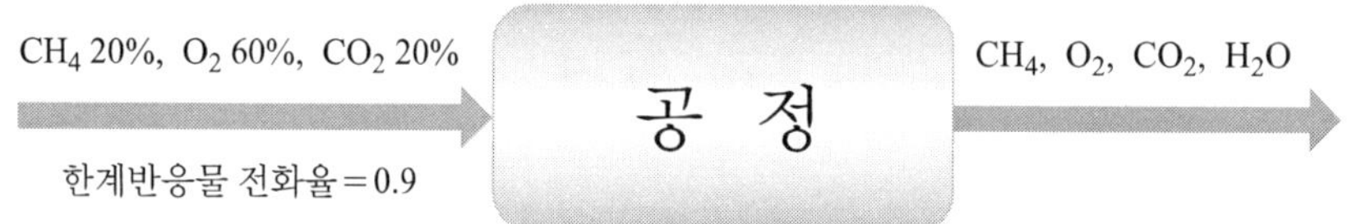

Step 2: 계산기준
전체 공급물의 총량을 100 mol이라 하자.

Step 3: 한계반응물 결정
두 반응물 CH_4과 O_2의 최대반응진행도를 확인한다.

$$\xi_{CH_4}^{max} = \frac{n_{CH_4}^{out} - n_{CH_4}^{in}}{\nu_{CH_4}} = \frac{0-20}{-1} = 20\ \text{mol}$$

$$\xi_{O_2}^{max} = \frac{n_{O_2}^{out} - n_{O_2}^{in}}{\nu_{O_2}} = \frac{0-60}{-2} = 30\ \text{mol}$$

CH_4의 최대반응진행도 값이 O_2보다 작으므로 CH_4가 한계반응물이 된다.
CH_4의 전화율 0.9이면 반응한 CH_4의 mol 수는 다음과 같다.

$$20\ \text{mol}\ CH_4 \times 0.9 = 18\ \text{mol}\ CH_4$$

Step 4: 생성물 조성 계산

(1) 분자 수지
수지식 : 유입량 + 생성량 = 유출량 + 소멸량

CH_4 수지 : $20\ \text{mol} + 0\ \text{mol} = n_{CH_4} + 18\ \text{mol CH}_4$

$n_{CH_4} = 2\ \text{mol CH}_4$

O_2 수지 : $60\ \text{mol} + 0\ \text{mol} = n_{O_2} + 18\ \text{mol CH}_4 \times \dfrac{2\ \text{mol O}_2}{1\ \text{mol CH}_4}$

$n_{O_2} = 24\ \text{mol O}_2$

CO_2 수지 : $20\ \text{mol} + 18\ \text{mol CH}_4 \times \dfrac{1\ \text{mol CO}_2}{1\ \text{mol CH}_4} = n_{CO_2}$

$n_{CO_2} = 38\ \text{mol CO}_2$

H_2O 수지 : $0\ \text{mol} + 18\ \text{mol CH}_4 \times \dfrac{2\ \text{mol CO}_2}{1\ \text{mol CH}_4} = n_{H_2O}$

$n_{H_2O} = 36\ \text{mol H}_2\text{O}$

(2) 원자 수지

원자는 새롭게 생성되거나 소멸되지 않으므로 유입량=유출량이 성립한다. 이때 유출량 내 2 mol의 CH_4가 남아 있다.

유입량 = 유출량

C 수지 : CH_4 내 C mol수 + CO_2 내 C mol수
= CH_4 내 C mol수 + CO_2 내 C mol수

$$20\ \text{mol CH}_4 \left| \frac{1\ \text{mol C}}{1\ \text{mol CH}_4} \right| + 20\ \text{mol CO}_2 \left| \frac{1\ \text{mol C}}{1\ \text{mol CO}_2} \right|$$

$$= 2\ \text{mol CH}_4 \left| \frac{1\ \text{mol C}}{1\ \text{mol CH}_4} \right| + n_{CO_2} \left| \frac{1\ \text{mol C}}{1\ \text{mol CO}_2} \right|$$

$$20 + 20 = 2 + n_{CO_2}$$

$$n_{CO_2} = 38\ \text{mol CO}_2$$

H 수지 : CH_4 내 H mol수
= CH_4 내 H mol수 + H_2O 내 H mol수

$$20\ \text{mol CH}_4 \left| \frac{4\ \text{mol H}}{1\ \text{mol CH}_4} \right|$$

$$= 2\ \text{mol CH}_4 \left| \frac{4\ \text{mol H}}{1\ \text{mol CH}_4} \right| + n_{H_2O} \left| \frac{2\ \text{mol H}}{1\ \text{mol H}_2\text{O}} \right|$$

$$80 = 8 + 2n_{H_2O}$$

$$n_{H_2O} = 36 \text{ mol } H_2O$$

O 수지 : O_2 내 O mol수 + CO_2 내 O mol수
= O_2 내 O mol수 + CO_2 내 + H_2O

$$60 \text{ mol } O_2 \left| \frac{2 \text{ mol O}}{1 \text{ mol } O_2} \right| + 20 \text{ mol } CO_2 \left| \frac{2 \text{ mol O}}{1 \text{ mol } CO_2} \right|$$

$$= n_{O_2} \left| \frac{2 \text{ mol O}}{1 \text{ mol } O_2} \right| + n_{CO_2} \left| \frac{2 \text{ mol O}}{1 \text{ mol } CO_2} \right| + n_{H_2O} \left| \frac{1 \text{ mol O}}{1 \text{ mol } H_2O} \right|$$

$$60 \times 2 + 20 \times 2 = 2 \times n_{O_2} + 38 \times 2 + 36 \times 1$$

$$n_{O_2} = 24 \text{ mol } O_2$$

(3) 반응진행도

$$\xi = \frac{n_{CH_4}^{out} - n_{CH_4}^{in}}{\nu_{CH_4}} = \frac{2-20}{-1} = 18 \text{ mol}$$

$$n_{CH_4}^{out} = n_{CH_4}^{in} + \xi \nu_{CH_4} = 20 + 18 \times (-1) = 2 \text{ mol } CH_4$$

$$n_{O_2}^{out} = n_{O_2}^{in} + \xi \nu_{O_2} = 60 + 18 \times (-2) = 24 \text{ mol } O_2$$

$$n_{CO_4}^{out} = n_{CO_4}^{in} + \xi \nu_{CO_4} = 20 + 18 \times (1) = 38 \text{ mol } CO_2$$

$$n_{H_2O}^{out} = n_{H_2O}^{in} + \xi \nu_{H_2O} = 0 + 18 \times (2) = 36 \text{ mol } H_2O$$

수율과 전화율은 동일한 화학반응의 진행정도를 나타내는거 같은데 왜 이렇게 달리 표현하나요?

전화율은 한계반응물이 기준인데 반하여, 수율은 생성물을 기준으로 반응정도를 살펴보는 것이란다.

찾아보기

• **김정희**
한서대학교 화학공학과

• **정광보**
한서대학교 화학공학과

쉽게 이해하는
화학공학양론

정가 15,000원

발 행 2024년 3월 10일 초판 1쇄
저 자 김정희, 정광보
발행인 정우용
발행처 도서출판 동화기술
경기도 파주시 광인사길 201(문발동, 파주출판도시)
Tel (031)955-4211~6 donghwapub@nate.com
Fax (031)955-4217 www.donghwapub.co.kr
(등록) 1977년 12월 19일/9-16호

ISBN 978-89-425-9566-2